Leven na de wending
als je kind overleden is

Rob Bruntink

Bruntink, R., Leven na de wending
ISBN 9789461550064
NUR 749

Vormgeving omslag en binnenwerk: Verbraeken Design. Amsterdam
Fotografie Rutger Staffhorst, Wilma van Beekveld en Marrian
Enserink
Foto auteur Marjolein Annegarn

© 2011, De Wending, uitvaartbegeleiding van kinderen en jongeren,
Culemborg.
www.uitvaartdewending.nl
www.scribum.nl
www.bforbooks.nl

Dit boek is mede mogelijk gemaakt door
financiële ondersteuning van het DELA Fonds.

Inhoudsopgave

Voorwoord

In de beginjaren van Uitvaartbegeleiding De Wending, gaven wij de ouders bij het nagesprek een gidsje mee met tips over rouw. Bij navraag bleek dat ze het gebaar wel waardeerden, maar eigenlijk niet zo veel aan het boekje hadden. Wél behoefte was er aan ervaringsverhalen van andere ouders. Met aandacht voor vragen als: hoe leven zij verder na het overlijden van hun kind, hoe gaat het in hun werk, in vriendschappen en in hun relatie, maar ook: hoe staan zij stil bij het gemis?

Een dergelijk boek bestond nog niet. Bovendien, ik was zelf ook wel benieuwd hoe het 'onze ouders', jaren later, verging. De Wending heeft daarom aan journalist Rob Bruntink gevraagd die gewenste ervaringsverhalen te schrijven. We selecteerden ouders die een kind hadden verloren in verschillende situaties (door een ongeval, ziekte of tijdens de zwangerschap) met ook variatie in de leeftijd van de kinderen (van baby tot jongvolwassen). Twaalf van hen vertellen in dit boek over het leven na de wending, door het overlijden van hun kind.

Rob had eind 2007 de eerste interviews. Begin 2008 werd hij ernstig ziek, waardoor zijn aantekeningen een jaar op de plank zijn blijven liggen. Toen hij in 2009 het werk wilde hervatten, sloeg het noodlot wederom toe: de dochter van Cornelieke Pieters, mede-oprichtster van De Wending, kreeg een dodelijk ongeluk. Voor iedereen zeer ingrijpend: het werk aan het boek kwam opnieuw stil te liggen.

Van de vertraging die het boek heeft opgelopen hebben we geprobeerd een deugd te maken; Rob heeft de mensen die hij in 2007/2008 al had geïnterviewd opnieuw gesproken en hen gevraagd op hun verhaal van drie jaar eerder te reageren. Zo wordt extra duidelijk wat 'tijd' wel of niet kan veranderen.

Ik wil alle ouders die aan het boek hebben meegewerkt bedanken voor hun openhartigheid. Ook wil ik ze bedanken voor hun medewerking aan het fotograferen van voorwerpen, die een relatie hebben met hun kind. Deze foto's staan afgebeeld op de voor- en achterkant van dit boek en op de boekenlegger.

Voor mij is *Leven na de wending* een boek geworden met verhalen waar ik stil van word. Soms komt dit door een zin uit een interview, een andere keer brengt het herinneringen boven uit de periode rond de uitvaart. Het boek raakt zó de kwetsbaarheid van het leven. Niet alleen door het thema, maar ook door de manier waarop het tot stand is gekomen, kwam de vanzelfsprekendheid van het leven volledig in de schaduw te staan. En dat is precies wat ouders ook ervaren, als hun kind overlijdt.

Ik hoop dat dit boek ouders waarvan een kind overleden is herkenning geeft en troost biedt. Ook hoop ik dat het mensen uit hun omgeving - van familie tot buren - inzicht geeft in hoe zij die ouders het beste nabij kunnen zijn. Direct na een overlijden, maar ook nog vele jaren later.

Culemborg, november 2011

Ellen Kruijer
Uitvaartbegeleiding De Wending

Ruben, de 8-jarige zoon van Ed en Joyce, overleed aan
de gevolgen van leukemie op 24 september 2006.
Plezier hebben en goed doen in het leven zat er
altijd al wel nadrukkelijk in bij Ed. 'Maar door het
overlijden van Ruben is die drive versterkt.'

Het gesprek voor dit hoofdstuk werd viereneenhalf jaar na
het overlijden van Ruben gevoerd.
Ed woont met zijn vrouw Joyce en hun zoon Calvin
(1995) in Rosmalen.

Op de foto:
De beer van Ruben

Ed:

Het lijkt soms alsof ik een dimensie in het leven mis

—

Toen Ruben overleed, zat hij in groep vijf. Je bent betrokken gebleven bij die klas tot en met groep acht, en nog steeds ben je actief op zijn school.

'Dat contact is vanzelfsprekend doorgelopen. Ik had altijd al een sterke binding met de school. Ik vond het mooi, en belangrijk, om onderdeel te zijn van die gemeenschap. Ik hielp bijvoorbeeld met het onderhouden van het schoolplein en ik was ook 'luizenvader'. Na het overlijden van Ruben had dat natuurlijk allemaal kunnen ophouden. Ook omdat Calvin inmiddels naar de middelbare school was gegaan. Maar zowel de leerlingen uit zijn klas als de ouders van hen bleven mij erbij betrekken. Vorig jaar ben ik met groep acht zelfs meegegaan op schoolkamp.

Het contact heeft zijn heftige kanten, omdat het mij herinnert aan het feit dat Ruben er niet meer is. Maar die confrontaties kun je toch niet ontlopen. Het contact met school of met zijn voormalige klasgenoten levert me altijd meer energie op dan dat het me energie kost. Door betrokken te blijven bij de schoolgemeenschap, worden er regelmatig momenten uitgelokt om over Ruben te praten. Dat is een fijn aspect ervan. Er is bijvoorbeeld een speciaal groepje van ouders die het schoolplein onderhouden. Soms komen daar nieuwe bij en zij vragen dan van wie ik de vader ben.

Anderen helpen doet mij goed. Ik heb dat altijd al zo ervaren, maar sinds Rubens overlijden voel ik dat nog sterker. Ik doel op de behoefte om er met zijn allen wat van te maken. Van het leven. In deze wereld. In deze schoolgemeenschap. In de buurt waarin ik woon. Niet zozeer ter compensatie van het verdriet dat ik heb gevoeld of soms nog steeds voel, want dat gaat toch nooit weg. Maar het betekent niet dat verdriet een mooi leven in de weg mag staan. Ruben was altijd de clown van de familie. Als hij ergens binnenkwam, kwam er een glimlach binnen. Tot op het laatst kon hij een zorgeloze kijk blijven houden: 'Vandaag is vandaag, morgen is morgen', is een typerende uitspraak van hem uit die tijd. Hij was nog te jong om het te zeggen, maar 'Carpe Diem' zou zijn lijfspreuk kunnen zijn geweest. Nu is hij er niet meer. Hij kan dus niet meer voor die onbezorgde blijdschap zorgen die daarbij past. En omdat hij er niet meer is, voel ik misschien de behoefte dat 'Carpe Diem-gevoel' in het kwadraat uit te dragen.

Vanuit dat gevoel dat anderen helpen mij goed doet, ben ik ook bloeddonor geworden. Wij kregen tijdens de behandeling van Ruben met bloedtransfusies te maken. Dat bracht me op het belang van bloeddonorschap. Ik had ook graag willen doneren voor een zogeheten beenmergdatabank, waarvan gebruik wordt gemaakt als een patiënt stamcellen nodig heeft van een niet-familielid, maar daarvoor bleek ik net te oud te zijn. Dat vond ik erg jammer. Ik wilde graag helpen, maar het 'mocht' niet meer.'

Is het, los van school, moeilijk geweest je tot je omgeving te verhouden?

'Ik moet je eerst een anekdote vertellen. Zo'n anderhalf jaar na het overlijden van Ruben gingen Joyce en ik naar een bijeenkomst van de VOKK (Vereniging Ouders, Kinderen en Kanker). Ik sprak met een man uit Eindhoven, een lotgenoot, die twee jaar eerder dan ik zijn zoon was verloren. Ik keek een beetje tegen hem op en dacht: 'Tjonge, hij is twee jaar verder dan ik. Van hem kan ik vast veel leren.' Dus ik vroeg hem onder meer naar het verschil tussen het moment van toen ik hem sprak, en het moment van kort na het overlijden van zijn zoon. Hij zei: 'Er zijn weinig grote verschillen. Maar de belangrijkste zijn dat je je verhaal kunt vertellen zonder pijn in je buik en dat je je sterker voelt tijdens het vertellen. Dat zul je als vanzelf gaan ontdekken naarmate de tijd vordert.' Ik hoorde het met open mond aan. Ik kon me toen niet voorstellen dat ik het verhaal over Ruben zou kunnen vertellen zonder pijn in mijn buik. Toch had hij gelijk.

Ik draag het polsbandje van de VOKK, 'Kanjers met lef' staat erop. Het valt op, want het is een kleurrijk polsbandje. Mensen vragen regelmatig naar de betekenis. Ik merk inmiddels dat ik sterker sta in het sturen van het gesprek dat daarop volgt. Wat dat betreft heb ik ontzettend veel gehad aan een tip van de bedrijfsarts met wie ik een afspraak had toen ik na Rubens overlijden weer ging werken. Ik zei hem dat ik het zo moeilijk vond om niet zozeer als 'Ed' weer terug te keren op mijn werk, maar als 'Ed met het verhaal'. Op alle momenten van de dag kon iemand me opeens vragen: 'Hoe is het met je?' Ik vond het moeilijk om daar een passend antwoord op te geven. Zijn tip was dat ik de vragensteller in één van de volgende drie categorieën moest indelen: een eerste, nabije ring, een tweede wat afstandelijker ring en een derde categorie voor mensen die wat verder van me af stonden. Bij iedere categorie bedachten we een standaard zin die ik als reactie kon geven. Mensen uit de eerste ring vertelde ik direct hoe het ging. Tegen mensen uit de tweede ring zei ik dat ik blij was dat ze ernaar vroegen, en dat ik er graag straks - als we even samen zouden gaan koffie drinken of lunchen - antwoord op zou geven. Tegen mensen uit de derde ring gaf ik een iets oppervlakkiger antwoord. Ik vertaalde de vraag 'hoe gaat het ermee' naar 'hoe gaat het vandaag' en antwoordde dan bijvoorbeeld dat ik lekker bezig was en verder wilde gaan met de klus waarmee ik op dat moment aan het werk was. Daarmee leidde ik het gesprek al snel naar een ander onderwerp.

Dat onderscheid maken in ringen gaf me een nuttig houvast. Het voorkwam dat ik me overvallen kon voelen. Of in ieder geval: als ik me overvallen voelde, had ik gereedschap ter beschikking waardoor ik me kon herstellen. Ik ben dat trucje ook gaan toepassen buiten mijn werk om. Op andere plaatsen dus waar je plots aangesproken kunt worden door mensen. Op straat bijvoorbeeld, of in winkels. In de periode kort na Rubens overlijden had ik het trucje nodig om te overleven. Door het trucje vaak toe te passen, ging ik het beheersen en voelde ik me er sterker door. Ik raak nu niet meer van slag als mensen me aanspreken. Ik bepaal makkelijker welke kant het gesprek opgaat.'

Hoe kijk je aan tegen de manier waarop 'de buitenwereld' met jouw ervaringen omgaat?

'Ik heb uit de contacten met lotgenoten geleerd dat de manier waarop je de buitenwereld ervaart, sterk afhankelijk is van je verwachtingen. Uit veel verhalen van lotgenoten maak ik op dat ze teleurgesteld zijn in hun omgeving. Er wordt vrij sterk geoordeeld. Familieleden, vrienden of mensen uit de buurt vragen te vaak hoe het met je gaat of ze vragen er juist te weinig naar. Of ze vragen er op de verkeerde momenten naar. Of ze stellen de verkeerde vraag... Ik heb geprobeerd me in die buitenwereld te verplaatsen. Een buitenwereld die ik trouwens graag had willen zijn. Hoe zou ik hebben gedaan als ik tot die buitenwereld had behoord? Zou ik nooit dichtgeslagen zijn? Zou ik nooit terughoudendheid hebben ervaren om iemand te bellen? Zou ik nooit iemand ontlopen hebben? Dat durf ik niet met zekerheid te zeggen. Ik neem daardoor een vrij milde kijk aan ten opzichte van die buitenwereld. Het mooie van deze blik, is dat ik tot op de dag van vandaag nog positief verrast kan worden door de mensen om mij heen. Dan krijg ik plots een mooie mail bijvoorbeeld. Juist omdat ik niets verwacht, vallen me nog regelmatig dergelijke cadeautjes toe.'

Bestaat deze kijk ook richting Joyce, je vrouw?

'Ja, dat denk ik wel. Net zoals je van de buitenwereld geen reactie kunt afdwingen, kan dat van je partner evenmin. Ik kan geen schouder opeisen, als ik die nodig heb. Maar als ik hem krijg, zal ik dat zeker als een groot 'dankjewel-moment' ervaren.

Vanaf het begin is het ons gelukt om van elkaar te accepteren dat ieder zijn eigen pad bewandeld. We zijn twee verschillende mensen, en vinden het logisch dat wij beiden op een andere manier met het verlies omgaan. Hoe paradoxaal het misschien ook klinkt: dat is wel de basis waardoor je samen verder kunt gaan. Het overlijden van Ruben heeft de verbondenheid die ik voel versterkt. Ik denk dat we een grotere afstand tussen elkaar zouden hebben gecreëerd als we elkaar hadden willen opleggen hoe de ander had moeten doen.'

Heb je je afgevraagd waarom uitgerekend jullie zoon ziek is geworden?

'Natuurlijk heb ik me dat afgevraagd. Maar het antwoord kan alleen maar zijn dat het een geval van *'bad luck'* is. Ik kan dan ook niets met opmerkingen als 'Het heeft zo moeten zijn' of ' Het is een straf van God'.

Je bent opgegroeid in een gereformeerde traditie. Hebben de ervaringen met Ruben invloed gehad op je geloof in God?

'Niet in de zin dat ik me afgekeerd heb van het geloof. Maar wel ten aanzien van het godsbeeld dat ik had. Ik had een - in ogen van anderen wellicht - wat naïef godsbeeld. Ik noem het nu wat gekscherend een 'Harry Potter-beeld': God als Almachtige tovenaar dus, die alles op aarde kan beïnvloeden. Nadat Ruben ongeneeslijk ziek bleek en overleed, was ik helemaal in de war. 'Waarom heb je dat laten gebeuren? Wat bedoel je hier nou mee?' Ik worstelde met dergelijke vragen. Als Hij er een bedoeling mee zou hebben, en Hij had mij ergens mee willen treffen, waarom gaf Hij dan die boodschap via mijn kind? Hij had mij toch ook recht-streeks kunnen raken? Bijvoorbeeld door mij mijn benen te laten verliezen of zoiets? Ik heb over derge-lijke vragen gesproken met mensen van onze kerkgemeenschap. Ook met de dominee van toen, Herman Koetsveld, heb ik er gesprekken over gevoerd. Ik realiseerde me daardoor dat God niet die Harry Potter kon zijn waarvoor ik Hem altijd had gehouden. Hij had niets aan Rubens situatie kunnen veranderen. Als Hij wel die tovenaar was geweest, had Hij dat wel gedaan. Ik ben dan ook niet boos geweest op Hem. Door dat veranderde beeld ging ik me realiseren dat je - natuurlijk, nog steeds - van alles aan Hem kunt vragen, maar dat de antwoorden niet van boven komen, maar vanaf de zijkant: van de mensen om je heen. Zo houdt Hij voor mij zijn waardevolle betekenis.'

Ga je vaak naar de begraafplaats?

'Wat is vaak? Ik kom er regelmatig, dat wel. Meestal ga ik er op mijn vrije dag, de woensdag, naar toe, soms in het weekend. De frequentie is de afgelopen jaren wel iets gedaald. In het begin kwam het nooit voor dat ik er twee weken niet was geweest. Nu incidenteel wel. Maar het bezoek zit wel in mijn systeem. Als we met de auto op vakantie gaan, gaan we altijd eerst langs de begraafplaats, en pas daarna richting vakantiebestemming.

Zijn begraafplaats is op fietsafstand van ons huis. Het is een bijzonder fraaie locatie. Door de schoonheid roept het op tot bezinning. De gewone wereld gaat als een sneltrein voorbij. Hier is er de mogelijkheid even stil te staan bij hem. Ik voel hem daar het meest nabij. Ik voel hem ook wel op andere momenten - bijvoorbeeld als ik naar de maan kijk - maar bij zijn graf is hij er in het bijzonder. Ik spreek ook tegen hem. Ik vertel hem over hoe het leven verder gaat. Ik vind het prettig om hem te betrekken bij het leven van nu.'

Wat is het grootste verschil tussen het leven van toen en het leven van nu?

'Het leven van 'toen' is sterk verbonden met de periode van Rubens ziek-zijn. In zo'n periode is maar één ding belangrijk, en dat is: Ruben moet dit overleven. Alles in het leven draait dáárom, alles plooide daarnaar. Dat maakt het leven, ook al is dat best ingewikkeld en zwaar, toch ook behoorlijk eenvoudig. Met zijn overlijden viel dat doel opeens weg. Een tijdje terug hoorde ik een gesprek met een bergbeklimmer op de radio. Hij had net de Mount Everest beklommen, en vertelde dat hij daarna in een gat was gevallen. Want opeens was zijn doel - die berg beklimmen, daarvoor trainen - weg. Hij zei toen dat hij het leven met een doel mooier vond dan het leven zonder. Zo voelt het voor mij nu ook nog steeds. Natuurlijk kan ik denken dat het doel nu is om van iedere dag een leuke dag te maken. Maar dat voelt toch als een minder belangrijk doel. Ik moet daar nog wat aan wennen. Het lijkt soms alsof ik een dimensie mis in het leven. Ik worstel met dat gevoel, omdat het dan net lijkt alsof het leven van nu - met mijn vrouw Joyce en mijn zoon Calvin - minder waard zou zijn. En dat is niet zo. Het is ánders. De intensiteit van het leven met Ruben komt nooit meer terug. Waarschijnlijk zeg ik vooral dat ik niet dat doel of die dimensie mis, maar Ruben.

Ik heb na het overlijden van Ruben een tijd gedacht dat ik een nieuw doel kon vinden door ander werk te gaan doen. Werk waarin idealisme en passie de hoofdrollen spelen. Vanuit de wereld van de bedrijfssoftware, een sector waarin ik nu werk, zou ik bijvoorbeeld het onderwijs in kunnen gaan. Ik zou daar vanuit de wens om 'goed te willen doen voor de wereld' een start kunnen maken. Ik heb ernaar gezocht. Ik werd er zelfs wat onrustig van: ik móest iets vinden. Maar gaandeweg de zoektocht realiseerde ik me dat ik het eigenlijk verschrikkelijk naar mijn zin had bij mijn huidige werkgever. Ik heb er ook veel steun van gekregen rondom de ziekte en het overlijden van Ruben. Waarom zou ik daar afscheid van moeten nemen? Het doel zoeken in ander werk is voor mij dus niet de juiste richting, concludeerde ik. Ik denk nu: het komt wel een keer, het zal zich vanzelf een keer aandienen. Misschien moet ik dat nieuwe doel zoeken in zoiets als het lopen van een marathon. Of misschien moet ik die zoektocht gewoon loslaten.

Joyce heeft nu het plan om mee te doen met de Nijmeegse Vierdaagse. Dat is een behoorlijk groot doel. Om die Vierdaagse te kunnen volhouden, moet je immers van tevoren aardig wat kilometers maken. Dat betekent dat je maandenlang je leven moet plooien naar dat doel. Ik merkte dat ik daar wat jaloers op was.

Ik heb overwogen me bij dat doel aan te sluiten. Maar nee, dit is echt meer haar ding dan het mijne. Dan help ik haar liever met het creëren van de mogelijkheid om trainingskilometers te maken.

Een tweede verandering die ik wil noemen is dat je door zo'n ervaring toch met andere ogen en oren in de wereld staat. Ik ben vrij open, en praat - denk ik - relatief makkelijk over Ruben. Door je verhaal te delen, roep je verhalen van anderen op. Verhalen over bijzondere ervaringen van andere mensen. Vaak zijn dat wel treurige verhalen, maar toch vind ik het mooi als ze verteld worden. Ik kan daar in zekere zin van 'genieten'. Vooral omdat ik weet hoe fijn het kan zijn je verhaal te kunnen vertellen. Door mijn ervaring met Ruben weet ik nu dat bijna iedereen zo zijn verhaal heeft. Al besef ik me ook dat ik liever iemand zou zijn geweest zónder verhaal.

Wies, de 21-jarige dochter van Cornelieke en Ton, werd op 28 januari 2009 aangereden door een vracht-wagen. De volgende dag overleed ze in het ziekenhuis.

Van opdrachtgever van dit boek werd ze interview-kandidaat: Cornelieke. Samen met Ellen begon zij in 2002 met De Wending. Ze stopte met het werk na het overlijden van dochter Wies.
'Mijn eigen ervaring bevestigt de gedachten van voorheen: er is geen gebruiksaanwijzing voor het omgaan met het verlies van een kind.'

Het gesprek voor dit hoofdstuk vond anderhalf jaar na het overlijden van Wies plaats. Cornelieke woont met haar man Ton en hun zoon Sjoerd (1991) in Culemborg.

Op de foto:
De mobiel van Wies.

Cornelieke:

Ik kijk fundamenteel anders naar het leven

—

Is het een voordeel of een nadeel om, weliswaar via je werk, al zoveel ervaring te hebben met het verliezen van een kind?

'Al die jaren werken voor De Wending leken een soort voorbereiding te zijn geweest. Wil ik mijn kind thuis opbaren of niet? Moeten er veel of weinig mensen bij de uitvaart worden betrokken? Kan ik instemmen met orgaandonatie of niet? Wat moet er in de rouwbrief komen te staan? Over veel van dit soort vragen had ik al eens nagedacht. Het draaiboek voor de uitvaart van Wies lag bij wijze van spreken al klaar. Ik wist wat ik wel en niet wilde. Wat dit soort praktische vragen betreft zou je het een voordeel kunnen noemen. Want normaal gesproken, als ik geen ervaring zou hebben met uitvaarten voor kinderen en jongeren, zouden dergelijke vragen niet eerder op mijn pad zijn gekomen.

De jaren met De Wending hebben ervoor gezorgd dat ik vele ouders ken die een kind hebben verloren. Met tal van hen heb ik na de uitvaart van hun kind contact gehouden. Het voelt als steun, als een soort rugdekking, om zoveel mensen te kennen die in hetzelfde schuitje zitten als ik. Ook dat zou ik een voordeel kunnen noemen.

De ervaring betekende echter niet dat ik in emotioneel opzicht wist wat me te wachten zou staan, na het overlijden van Wies. Natuurlijk had ik me daar vooraf, als onderdeel van ons werk, een voorstelling van proberen te maken: wat betekent het om een kind te verliezen? Ik moet nu constateren dat je je daar géén voorstelling van kunt maken. Hoezeer je ook je best doet. De werkelijke impact is zó totaal. Daar kom je niet op door er vanuit je hoofd bij stil te staan. Je kunt je vooraf niet wapenen tegen de leegte die je dan overspoelt, tegen de eenzaamheid, tegen het intensdiepe gemis.

Mijn eigen ervaring bevestigt de gedachten van voorheen: er is geen gebruiksaanwijzing voor het omgaan met het verlies van een kind. De dingen die ik doe, de dingen die ik nodig heb, de dingen die goed voor mij zijn... Dat is allemaal verbonden met de persoon die ik ben. Iedere ouder moet voor zichzelf uitvinden wat voor hem of haar het beste is.'

Wat is voor jou belangrijk geweest om te kunnen doorleven?

'In het eerste half jaar zijn mijn man en ik alleen maar bezig geweest met een soort reconstructie van Wies' leven. Ze was al een paar jaar uit huis, en zoals dat dan gaat in het leven: belangrijke delen van haar dagelijkse leven gingen grotendeels aan ons voorbij. Daar hebben we in de eerste tijd heel nadrukkelijk op ingezoomd. We hebben gesprekken gevoerd en ontmoetingen gehad met haar vriendinnen en vrienden. Met een aantal van haar beste vriendinnen hebben we nog steeds contact. Dit zijn voor mij hele waardevolle contacten. Ook zij missen Wies in hun dagelijkse leven. Dat maakt ons tot gelijken. Veel andere mensen om ons heen treuren meer om ons, dan om Wies.

In dat eerste half jaar hebben we ook leraren van haar school gesproken. We hebben haar stagebegeleiders ontmoet. We hebben op haar kamer in haar bed geslapen. We zijn naar een concert geweest van een van haar favoriete zangers. Ton en ik wilden dat allemaal doen. Het ging eigenlijk vanzelf. Ook achteraf ben ik blij dat we dit gedaan hebben. Hoe confronterend het ook was.

Ik heb in de eerste maanden via zeven mails iedereen uit onze omgeving op de hoogte gehouden van hoe het met ons ging. Ik ben eigenlijk helemaal geen schrijver, vind ik, maar als ik terugkijk zijn het hele mooie mails geworden, ook al gaan ze vooral over het rauwe lijden waarvan in die tijd sprake was. Iedereen moest eigenlijk een beetje met ons mee-lijden, vond ik. Ik was ook bang dat ik zou vergeten hoe we eraan toe waren in deze periode, en dat wilde ik niet. De angst om te vergeten was dus ook een reden tot schrijven.

Doorgeven hoe het met ons ging was belangrijk voor mij. Het heeft ook geholpen om ongemakkelijke situaties tussen de buitenwereld en ons te voorkomen. Ongemakkelijk in de zin van: men hoefde niet die algemene vraag 'Hoe is het nou met je?' te stellen, maar men kon aanhaken bij iets concreets. 'Ik las dat jullie bezig zijn met het grafmonument', of zo. Dat maakte het contact voor beide partijen makkelijker.

De mails leverden enorm veel reacties op. In de vorm van teruggestuurde mails, maar ook via kaartjes, brieven en sms'jes. Al die aandacht hield me bij Wies, en dat was het fijnste wat er was. Mails rond sturen bleek een goede manier om die aandacht te krijgen.

Wat voor ons ook van wezenlijk belang is geweest, is het maken van een 'Wies-plek' bij ons in de tuin. We wonen in een boerderij aan de Lek. We hebben veel ruimte om ons huis. Onderaan de dijk hebben mijn man Ton en ik een plek gemaakt waar we, beschut door een haag van wilgentakken, op een bankje kunnen zitten. Ton heeft een monument gemaakt van zink. Dat heeft eerst als tijdelijk monument op haar graf gestaan, voordat het definitieve monument is geplaatst. Dat monument staat nu vlak bij het bankje. Er hangen twee knalrode schoenen met naaldhakken aan; soortgelijke schoenen had Wies gedragen. Het was goed om dit samen op te bouwen. We zijn dagenlang met wilgentakken in de weer geweest. Het liefst ben ik in huis of zit ik op het bankje van de 'Wies-plek'. Thuis voel ik haar aanwezigheid het meest. Thuis liggen de meeste herinneringen aan haar. Ik ga daarom nog steeds niet graag het huis uit.

Wat ons heeft verplicht om letterlijk en figuurlijk in beweging te blijven is de hond die we net een half jaar hadden toen Wies overleed. We moesten er dus iedere dag even op uit. Of in ieder geval één van ons. Het eerste half jaar zijn we bijna dagelijks samen naar de begraafplaats gelopen. Een wandeling van zo'n drie kwartier heen, en drie kwartier terug. Mijn verdriet werd er echt niet minder om, maar deze verplichte wandeling hield ons wel op de been. Ik ging me er niet echt beter van voelen, hield ik me voor, maar eigenlijk was dat toch wel een beetje het geval. Je beweegt, je voelt je lichaam, je voelt de wind, je voelt de kou of - later in het jaar - de warmte van de zon.'

Je bent onmiddellijk gestopt met De Wending. Welke rol speelt werk nu in je leven?

'Er is misschien heel even de gedachte geweest dat ik door deze ervaring een nóg betere uitvaartbegeleider zou kunnen worden, maar nee, na het nodige wikken en wegen heb ik na ruim een jaar definitief besloten niet meer terug te keren. De Wending heeft op een hele mooie en indringende manier mijn leven gevuld en vervuld, maar ik kan niet meer terug. Ik ben niet meer dezelfde als voorheen. Op de website van De Wending staat een filmpje van TV Gelderland over ons. Dat filmpje is gemaakt toen we een jaar of vier bestonden.

Ik keek er pasgeleden naar, en dan zie en hoor ik mezelf, maar het klinkt en voelt alsof dat de Cornelieke uit een vorig leven is. Mijn eigen verdriet staat het begeleiden van andere ouders in de weg. Ik zou alleen kunnen doorgaan als ik mijn eigen ervaringen tijdens het werk zou afsluiten. Dat kan en wil ik niet. Dat past ook niet bij De Wending.

Een half jaar na het overlijden van Wies hoorde ik via via dat een brasserie in Culemborg personeel zocht. Ik wilde weer wat gaan doen. Ik had nooit gedacht dat ik in de horeca zou gaan werken, maar ik ben 't gaan proberen. Het beviel goed. Ik ben in de bediening begonnen, en ben nu assistent-bedrijfsleider. Het werk heeft me geholpen het leven weer enigszins op te pakken. Het was fijn om structuur te hebben. Te weten dat er ergens mensen zijn die op je wachten. Het was fijn weer een functie te hebben. Naast 'moeder van Wies'. Ook al hadden de meeste mensen met wie ik werkte Wies gekend. Dat voelde juist prettig.'

Het eerste half jaar trokken je man en jij veelal samen op. Ben je elkaar zowel tot steun als tot last?

'Meer tot steun dan tot last. Al waren er ook vele momenten waarop ik het zwaar vond om het verdriet van Ton te zien. Dat leverde een dubbel gevoel op. Aan de ene kant dacht ik: was ik maar de enige die deze hele zware koffer vol verdriet moest dragen, aan de andere kant voelt het steunend om niet de enige te zijn.

Tot Wies' overlijden leefden we een veel meer van elkaar gescheiden leven. Ik had mijn baan en mijn bezigheden, Ton de zijne. Als vanzelf trokken we na Wies' overlijden naar elkaar toe. Haar dood raakte vele mensen, maar met hem deel ik iets unieks: wij beiden, en niemand anders, zijn ouders van Wies. Zij is uit onze liefde voor elkaar geboren.

Vanaf het begin hebben we in elkaars nabijheid kunnen schreeuwen, huilen of stil kunnen zijn. We vertelden elkaar voortdurend wat ons bezig hield. Ik kende uiteraard de verhalen over stellen die uit elkaar groeien na het overlijden van een kind. Ik kan me dat goed voorstellen. Als je relatie op zo'n moment niet goed is, groei je makkelijk uit elkaar en 'verdwijn' je als het ware in een eigen wereld. Ton en ik hebben gemerkt dat het voor ons goed werkte om juist voortdurend contact met elkaar te zoeken en verbinding te maken.

Na het eerste half jaar gingen we ieder weer wat meer onze eigen dingen doen. Het voelde bijna als nieuw om me als individu door het leven te bewegen. We hadden zo lang zo intensief met elkaar opgetrokken! We merkten al snel hoe makkelijk het is om in het oude patroon terug te vallen. Ook omdat ik vooral in de avonden werk, en hij overdag, hebben we een beetje moeten zoeken naar een manier om toch tijd en ruimte te vinden voor elkaar.

Hoe makkelijk ik me bij Ton kon laten gaan in het tonen van mijn gevoel en emoties, zo lastig vind ik dat bij onze zoon Sjoerd. Ik wil hem niet belasten met ook nog míjn verdriet. Tegelijk wil ik ook een voorbeeld zijn, en laten zien dat het 'goed' is om verdriet te hebben. Eigenlijk vind ik het voor Sjoerd het meest erg dat Wies is doodgegaan. Ton en ik zijn volwassenen: wij hebben tijdens het leven gereedschap meegekregen waardoor we hier uiteindelijk wel een weg uit weten te vinden. Maar hij was 17 toen Wies overleed. Hij was en is nog zo jong. Opeens was hij enig kind. Wat kun je daarmee, op zijn leeftijd? Dat raakt me zó. Ook de wetenschap dat ik er een tijd niet voor hem heb kunnen zijn, omdat wij zo met Wies bezig waren en vol verdriet zaten: dat doet pijn. Ook al besef ik dat het nou eenmaal zo is en dat daar niets meer aan te doen valt. Maar ik heb nu nog maar één kind, en ik wil hem zo graag gelukkig zien.'

Ben je veranderd?

'Tot nu toe kan ik een paar, wat oppervlakkige, veranderingen noemen: ik ben veel meer thuis, ik ben weer begonnen met roken en er zijn meer momenten in de week waarop ik alcohol drink. Dat 'meer thuis zijn' begint nu alweer langzaam te verschuiven, omdat het werken in de horeca me zo bevalt. Met het roken wil ik weer gaan stoppen. En dat drinken... Het heeft natuurlijk wel iets verzachtends, iets dempends. Of ik daar nog lang behoefte aan heb is nu niet in te schatten.

Ik voelde, deels door de dagelijkse wandelingen met

de hond, hoe belangrijk het voor me was om aan de ene kant afleiding te zoeken en aan de andere kant met mijn lichaam bezig te zijn, te bewegen. Eerst dacht ik aan boksen. Ik voelde zoveel boosheid in me, ik dacht: ik moet dat lozen. Ik zit op roeien, maar dat is toch meer een duursport, daar raakte ik mijn agressie niet kwijt. Uiteindelijk kwam ik uit op tennis: lekker slaan, lekker met dat racket tegen een bal aan meppen.

Er is nog een minder oppervlakkige verandering te noemen. De dood van Wies heeft me ervan doordrongen dat ieder mens ten diepste eenzaam is. Dat besef vond ik best heftig. Ik schrok ervan. Ik ben opgegroeid in een groot gezin. Ik was de jongste thuis. Ik heb me altijd gedragen gevoeld in het leven. Sociaal gedrag vertonen - mensen opzoeken, met mensen omgaan - is me met de paplepel ingegoten. Maar toch: hoeveel je ook deelt en hoe lang je iemand ook kent, uiteindelijk is het een illusie om te denken dat de ander precies kan weten wat er in je omgaat, hoe je je voelt en wat er zich werkelijk in je hoofd en hart afspeelt.

In vergelijking met hoe ik het eerst zag, is het een fundamenteel andere kijk op het leven. Ton en ik kennen elkaar al vanaf mijn 15e. Als iemand mij goed zou kennen, dan is hij het wel. En dat doet hij ook. Maar kijk: als ik zeg 'Dit is een vaas' of 'Dit is een wilg', dan weten we allebei waarover we het hebben. Als ik zeg 'Mijn hart scheurt van verdriet' ligt het anders. Want verstaat hij mijn woorden precies zoals ik ze bedoel? Is het verscheurende verdriet zoals ik het ervaar hetzelfde verscheurende verdriet zoals hij het ervaart? Ik denk niet dat je daar vanuit moet gaan. Het is niet depressief bedoeld hoor, maar je bent alleen op de wereld gekomen en je gaat ook weer in je eentje weg. Tussendoor loop je soms lang, soms kort samen met iemand op, maar dan nog is er voortdurend sprake van een existentiële eenzaamheid. Dat bewustzijn voel ik nu sterker dan ooit.

Wies heeft een tijdje met Ton en mij meegelopen. Nu is ze een andere kant opgegaan. Ik heb regelmatig gedacht: ik ga haar achterna, ik ben wel klaar hier. Maar een fractie later denk ik aan Ton en aan Sjoerd, en dan is de wens haar te volgen alweer voorbij. Uiteindelijk wil ik haar niet echt achterna. Maar dat neemt niet weg dat het soms wel als prettige oplossing kan voelen.'

Hoe draag je Wies met je mee?

'In concrete zin door tot nu toe nog bijna iedere dag een kledingstuk van haar aan te hebben. Dat kan een sjaal zijn of een paar sokken, maar even goed een onderbroek. Maar los daarvan: ik voel haar. Haar lichaam is wel weg van deze wereld, maar ik voel haar aanwezigheid. Vooral in huis en op de 'Wies-plek', in de tuin. Een Surinaamse vrouw, die de gave heeft om contact te maken met de andere wereld, is bij ons thuis geweest. Ze zei dat Wies regelmatig in de tuin komt, bij de 'Wies-plek'. In het begin vond ik dat vreselijk om te horen. Wat moest ik daarmee? Ik wil haar ècht hier, dacht ik dan. Niet een schim van haar, of alleen haar ziel. Wat hád ik daar nou aan?

Zij had ook gezegd: 'Als je een donkerbruine vlinder ziet, dan is dat een teken van Wies'. Vorig jaar december, een klein jaar na het overlijden van Wies, waren Ton en ik op zolder samen het bed van Sjoerd aan het opmaken. Dat deden we eigenlijk nooit, want Sjoerd is oud genoeg om het zelf te doen. Plots zagen we een vlinder. Een vlinder met een gat in één van zijn vleugels. We vonden dat opmerkelijk, in december nog een vlinder.

Een paar dagen later kwamen we diezelfde vlinder een verdieping lager tegen. Weer wat dagen later vloog hij in de keuken. En een dag nadat we hem daar gezien hadden, lag hij dood op de vensterbank. We hebben 'm, met de vleugels dichtgeklapt, in een kast gelegd waar wel meer spulletjes van Wies liggen.

Op Eerste Kerstdag sta ik bij die kast. Ik steek wat kaarsjes aan, en op dat moment ontvouwt de vlinder zijn vleugels. Ik stond perplex. Dit kán niet, dacht ik, die vlinder is al dagen dood! Ik heb Ton onmiddellijk geroepen, ik was helemaal van de kaart. Het was net alsof ze hiermee aangaf: 'Ik ben er echt wel hoor, ook al geloof je niet in die hekserij... Ik zal je een flink staaltje laten zien.'

Aan de ene kant vind ik het troostend, om het idee te hebben dat ze nog dichtbij mij is en dat ik haar voel. Aan de andere kant verscheurt het me, want de manier waarop ze bij me is, is niet zoals ik het wil. Ik wil haar helemaal, ik wil haar kunnen zien, ik wil met haar praten, ik wil haar voelen en ruiken. Ik hoop nog het stadium te bereiken waarin het voelen van haar energie, of haar ziel, alleen troostend is, en niet verscheurend.

Die vrouw heeft me ook gezegd dat Wies gelukkig is waar ze nu is. Ook daarover voel ik ambivalentie. Ik vind het fijn om te horen, maar... Er is nog steeds een maar. Hoe kán ze gelukkig zijn, denk ik dan. Ze had hier nog zoveel plannen.

Van andere ouders had ik regelmatig gehoord dat niets meer hetzelfde was na het overlijden van hun kind. Ik dacht dat ik dat toen begreep. Maar nu ik het zelf meemaak, moet ik zeggen dat dat niet klopte. Nu snap ik het wel. Het slaat zo'n gat in je leven. Dat alles anders is slaat ook op de manier waarop je jezelf tot de buitenwereld verhoudt. Tot nu toe geldt nog steeds dat ze in iedere ontmoeting en in ieder gesprek aanwezig is. Ook al woonde Wies al enige tijd zelfstandig in Rotterdam, sinds ze overleden is heeft haar afwezigheid veel aanwezigheid gebracht. Eerlijk gezegd verbaast mij dat. Ik zou dat eerder hebben verwacht bij een kind waarvoor je als moeder nog dagelijks zorgde. Toen Wies nog leefde was ik me er niet zo bewust van, maar ik merk sinds haar dood hoezeer de binding tussen moeder en dochter tot in het diepst van al je vezels zit.'

Dat iemand als jij een kind verliest: heb je je afgevraagd of
het toeval is? Heb je het over je afgeroepen?

'Ton heeft eens in een opwelling geroepen, in één van
de eerste dagen, dat ik nooit met De Wending had
moeten beginnen. Dat ik het inderdaad over mezelf
had afgeroepen door in mijn werk bezig te zijn met het
overlijden van kinderen. Hij liet er al snel op volgen
dat hij dat niet meende. Zo denk ik, en zo denken wij,
niet over het leven.

Als Wies nog even haar veters had moeten strikken
voordat ze op de fiets was gestapt, was ze niet door die
vrachtwagen aangereden. Als een stoplicht een seconde
langer op rood had gestaan, waren de vrachtwagen en
zij niet gelijktijdig op dat fatale moment op dat kruis-
punt geweest, en was dit niet gebeurd. Als ze zich had
verslapen... Als ze die ochtend een lekke band had
gehad... Het leidt tot machteloosheid als je bedenkt
welke banale activiteiten haar leven hadden kunnen
redden. Is het toeval dat dit mij overkomt? Lag het
vast? Of is het gewoon dikke pech?

Wies en ik waren ongeveer een jaar voor haar
overlijden bij een handlezeres geweest. Volgens haar
kon aan een bepaalde lijn in de hand worden gezien of
iemand kort of lang zou leven. Ze zei er direct bij dat ze
daar bij een lezing nooit naar keek, 'want tja, mensen
kunnen daar eigenlijk niets mee'. Na het overlijden van
Wies heb ik haar gebeld. Ik vroeg haar: zou u de afdruk
van de hand van Wies opnieuw willen lezen en kijken

of haar dood voorbestemd was? Ze schrok van mijn vraag, maar stemde - met tegenzin, merkte ik - in met een afspraak. Toen ze de hand had gezien, zei ze dat de lijnen in de hand van Wies inderdaad op een kort leven en een plotselinge dood duidden.

Ik ging weg en dacht: 'Nou, dan weet ik dat.' Maar later begon ik te twijfelen. Dacht ik werkelijk dat zoiets in een hand te lezen was? En wat schoot ik er eigenlijk mee op? Ik besefte dat ik op zoek was naar iets wat het vroege overlijden van Wies zou verklaren. Terwijl die verklaring waarschijnlijk nergens te vinden is.'

Bij Floris, de zoon van Margreet en Ronald, werd een
sterke mate van slechtziendheid vastgesteld toen hij
2 jaar oud was. In de jaren daarna bleek het om een
progressieve stofwisselingsziekte te gaan. De ziekte
bracht veel lichamelijke beperkingen met zich mee.
Hij overleed op 16-jarige leeftijd op 24 mei 2006.

Juist omdat het leven van Floris zo in het licht stond
van beperkingen, zochten Margreet en hij altijd naar
wat nog wél mogelijk was. Deze houding zet ze door
na zijn overlijden.
'Floris heeft er niets aan als ik ga zitten kniezen.'

*Het gesprek voor dit hoofdstuk vond vier jaar na het
overlijden van Floris plaats. Margreet is enkele jaren voor
het overlijden van Floris gescheiden en woont met haar
zoon Ivo (1992) in Vleuten.*

Op de foto:
Een door Floris gemaakte ster, van gasbeton.

Margreet:

Hem loslaten voelde als het ultieme houden-van

—

Artsen hebben nooit een exacte diagnose, laat staan een duidelijke prognose kunnen geven. Was dat een vervelende onzekerheid?

'Een duidelijke prognose is er inderdaad nooit geweest. Er is heel wat diagnostisch onderzoek op hem losgelaten, maar een harde diagnose is evenmin ooit gesteld. De enige constatering die gedaan is, is dat het een stofwisselingsziekte zou zijn. Bij het afbreken van de voedingsstoffen ging wat mis. Daardoor verzuurden zijn spieren. Dat de ziekte progressief was, wisten we ook. Er ontstonden dus steeds meer lichamelijke beperkingen. Dat begon al in zijn babytijd met slechtziendheid, maar in de jaren voor zijn overlijden was hij bijvoorbeeld ook rolstoelafhankelijk.

Het is moeilijk voor te stellen hoe het leven zou zijn gelopen als er bijvoorbeeld vanaf het begin was gezegd: 'Hij wordt niet ouder dan 16 jaar.' Artsen hebben echter nooit kunnen aangeven of en hoe snel de ziekte tot zijn overlijden zou leiden. Het niet-weten over zijn toekomst had ook voordelen. Zijn hele leven heeft hij zo moeten vechten. Hij moest telkens maar weer opnieuw leren omgaan met een volgende beperking. Hij ontwikkelde daardoor een enorme wilskracht én levenskracht. Onze gezamenlijke visie was: kijken naar wat er wél mogelijk is, en niet teveel stilstaan bij de beperkingen. Wat de kwaliteit van zijn leven betreft heeft die kijk enorm veel goeds voor hem - en ook voor mij - betekend. Zou dat ook gebeurd zijn als we hadden geweten dat zijn overlijden nabij was geweest? Had hij zich dan ook met diezelfde bewonderenswaardige energie ingezet voor het leren omgaan met de beperkingen?'

Floris stelde op een gegeven moment zelf vast dat het 'genoeg' was geweest. Wat betekende dat voor het afscheid nemen?

'Twee maanden voor zijn uiteindelijke overlijden moest hij voor de zoveelste keer worden opgenomen in het ziekenhuis. Zijn armen deden zeer, hij was misselijk en er was een moment dat zijn spraak weg viel. In het ziekenhuis bleef hij achteruitgaan. Hij kreeg een paar epileptische aanvallen. Het was duidelijk voor alle betrokkenen dat het nu een aflopende zaak was. Hijzelf zag dat ook scherp. Een paar dagen voor hij overleed zei hij: 'Mama, ik hou van je. Ik kan het nu nog zeggen.

Straks ben ik er niet meer.' De dag erna kon hij niet meer praten. Hij kreeg in een eerder stadium nog de vraag voorgelegd of hij gereanimeerd wilde worden. Dat wees hij af. We hadden in het ziekenhuis ook een gesprek over euthanasie. Hoewel hij verstandelijk geen beperkingen had, vond de psychologe van het ziekenhuis hem toch wilsonbekwaam. Ik vond dat belachelijk, en ben er erg boos over geweest. Over euthanasie, en wanneer dat aan de orde zou mogen zijn, was hij juist altijd heel consequent geweest. Het was de *story of his life*, dat hij, met zijn lichamelijke beperkingen, moest vechten tegen het vooroordeel dat hij ook verstandelijk iets zou mankeren.

We hadden vlak voor deze ziekenhuisopname aan de keukentafel zitten praten over hoe het met hem ging en wanneer het voor hem genoeg was. Hij was zich ervan bewust dat hij alsmaar meer en meer aan het inleveren was. En hij zei: 'Als het zo moet, dan wil ik niet meer.' Ik heb geantwoord: 'Als jij niet meer wilt, dan hoef je ook niet meer.' Voor hem was het genoeg geweest. Dat wist hij duidelijk aan te geven.

Het zou misschien logisch zijn geweest voor een moeder, om op zo'n moment alle vezels in je lijf te voelen protesteren tegen het idee dat je je zoon zou moeten loslaten. Maar ik voelde dat niet.

Het voelde eerder als het ultieme houden-van. Als een volledige overgave aan de dingen die zouden gebeuren en ik toch niet zou kunnen beïnvloeden. Achteraf gezien is dat gesprek over wanneer het genoeg zou zijn voor hem, en mijn toezegging dat ik daarin zou berusten, van grote waarde geweest. Het heeft me, ook als ik terugkijk, de rust gegeven te kunnen accepteren dat hij zou overlijden en ook ís overleden.'

Zijn er andere zaken te noemen die de acceptatie van zijn overlijden vergemakkelijkt hebben?

'Tot enkele dagen voor zijn dood hebben we samen goed kunnen praten. We hebben daardoor op een goede manier afscheid kunnen nemen. Hoe verdrietig alles ook was, we hebben ook aan het eind van zijn leven nog veel moois gedeeld. In dat opzicht prijs ik me gelukkig met de manier waarop wij het hebben kunnen doen. Het lijkt me zo anders dan wanneer je kind plotseling komt te overlijden: door een ongeluk of door zelfmoord bijvoorbeeld. Dan blijf je met allerlei vragen zitten, die de verwerking behoorlijk in de weg kunnen staan, lijkt me. Zijn hele leven is door zijn handicap zo'n intensief leven geweest. Dat zou ik zonder hem nooit hebben gehad. Ook hierdoor valt zijn overlijden makkelijker te dragen.

Daarnaast was er natuurlijk ook nog een weinig opbeurend toekomstbeeld. We waren bezig een nieuw huis voor hem te zoeken, waar hij - onder begeleiding - kon gaan wonen. Hij had, ondanks zijn beperkingen, behoefte om eruit te vliegen. Hij wilde het liefst naar een begeleid wonen-locatie voor jonge mensen die alleen lichamelijk gehandicapt zijn, maar die waren er nauwelijks. Hij kon wel terecht in een locatie voor verstandelijk gehandicapten, maar dat was voor hem geen serieuze optie. De keuzemogelijkheden waren dus beperkt. Wat zou zo'n verhuizing met zijn kwaliteit van leven hebben gedaan? Los van alle medische problemen die hij nog zou kunnen krijgen en de daarmee gepaard gaande toename van de afhankelijkheid, is hem door zijn overlijden ook op sociaal gebied het nodige bespaard gebleven. Mijn omgeving vond het moeilijk om te horen, maar ik gunde het hem van harte dat hem dit bespaard bleef.

Floris beschikte in sociaal opzicht over een enorme power. In huis was hij altijd het gezelligheidsdier geweest. Hij maakte snel vrienden, had humor en kon goed luisteren. Veel mensen liepen weg met hem. Op de school van Floris, een Bartiméusvestiging, was een herdenkingsdienst georganiseerd voor zijn klasgenoten. Ze vertelden over Floris, en wat hij voor hen had betekend. Eén van hen zei: 'Ik kon altijd naar Floris toe als ik wilde praten, maar naar wie moet ik nu toe?' Het was fijn om te merken hoe geliefd hij is geweest. Dat doet me goed. Ikzelf vond hem natuurlijk altijd al een bijzonder kind, maar er zijn zoveel anderen die dat óók vonden. Dat is troostend.

Wat mensen ook weleens zeggen, is dat ik zijn overlijden vrij makkelijk lijk te kunnen accepteren. Als ze dat niet veroordelend bedoelen, kan ik hen wel gelijk geven. Maar dat kan niet zonder bepaalde voorwaarden. Alles wat gezegd moest worden was gezegd, en alles wat gedaan had kunnen worden was gedaan. Er waren geen open eindjes meer. Het is niet arrogant bedoeld, maar voor zover ik dat over mezelf kan zeggen, vind ik dat ik de afronding goed gedaan heb. Daar ben ik ook dankbaar voor. Voor 't zelfde geld was ik daarna in een zware depressie gekomen en was ik daar nooit meer uitgekomen.'

Waaruit haalde je de kracht om voort te gaan?

'Het zit sowieso niet echt in mijn karakter om mijzelf slachtoffer te voelen en daardoor voor langere tijd in een slachtofferrol te zitten. Er zijn mensen die - bijvoorbeeld over hun werk - altijd lopen te mopperen en te klagen. Zo zit ik niet in elkaar. Ik zie eerder de goede dingen. Zo'n psychologe bijvoorbeeld, die in de laatste ziekenhuistijd het oordeel uitspreekt dat Floris niet wilsbekwaam is: ik blijf het nog steeds frustrerend vinden, maar ik voel geen rancune. Er is in dat ziekenhuis ook zo ontzettend veel goed gegaan. Natuurlijk heb ik momenten of periodes waarin ik boos of verdrietig ben, maar ik ga me daar niet in wentelen. Het is me teveel negatieve energie. En ik kijk liever naar de positieve zaken dan de negatieve.

Er is een vergelijking te maken met het leven dat ik met Floris heb geleid. Dat heeft me er alleen maar extra op gewezen hoe belangrijk het is om te kijken naar wat nog wél mogelijk is, en niet te gaan kniezen over wat níet meer kan. Floris heeft daar ook helemaal niets aan.

Dat geldt trouwens ook in bredere zin: geen enkele overledene is erbij gebaat als er een slachtofferrol wordt aangenomen. Deze houding kunnen aannemen is overigens geen verdienste van mijzelf, maar zat al in me. Ik ben daar wel heel gelukkig mee, want ik zou het idee hebben dat ik Floris niet zou kunnen loslaten als ik in het verdriet zou blijven hangen. Ik denk dat ik er vrede mee kan hebben omdat ik hem heb kunnen loslaten.'

Hoe heb je het 'loslaten' concreet ingevuld?

'Ik heb daar niet echt over zitten nadenken. Heel veel is vanzelf gegaan. Al zijn spullen bijvoorbeeld, heb ik al na een paar maanden verdeeld. Sommige dingetjes zijn naar vrienden gegaan of naar vrijwilligers die voor Floris hadden gezorgd. Er is veel naar de kringloop gebracht. Zijn broer Ivo wilde het bed. Zo was zijn kamer in een mum van tijd leeg. Ik weet dat er ouders zijn die de kamer koesteren waarin hun overleden zoon of dochter heeft geslapen. Die de kamer jarenlang hetzelfde laten. Ik vel daar geen oordeel over, maar dat past niet bij mij. Het zou althans voor mij geen goede functie kunnen hebben. Ik zou het idee hebben dat ik Floris dan teveel zou vasthouden, terwijl ik hem juist moest loslaten.

Dat geldt bijvoorbeeld ook voor vakantie- of kerstkaarten. Ik weet dat sommige ouders ervoor kiezen de overleden zoon of dochter als afzender daarbij op te voeren. Ik doe dat dus niet. Voor mijzelf zou dat betekenen dat ik hem teveel vasthoudt. Het niet noemen van zijn naam in deze situaties brengt mij verder dan wanneer ik zijn naam wel zou noemen. Het zou zelfs zwaar kunnen voelen. Alsof ik tegen de stroom in wil roeien.

Ik heb wel een soort altaartje in huis. Met wat spulletjes die me aan Floris doen denken, zoals foto's, een beeldje, een Marokkaanse gelukssteen en een vlinder die ik van een vriendin heb gekregen. Rondom de uitvaart kreeg ik allerlei mogelijkheden voorgelegd voor het vasthouden van herinneringen: ik kon een ketting van zijn haar laten maken, ik kon film- of muziekopnames van de uitvaartdienst laten maken, ik kon vingerafdrukken laten maken, enzovoorts. Ik heb op alles 'Nee' gezegd. 'Ja' zeggen voelde als vasthouden, 'Nee' zeggen stond voor loslaten, en dat was wat me te doen stond.

Enkele jaren na Floris, is mijn moeder overleden. Ook haar heb ik bewust losgelaten. 'Ga maar naar papa', heb ik haar gezegd. 'Ga maar naar Floris. En doe ze de groeten.' Natuurlijk: het overlijden van een zoon of moeder dwingt je tot bezinning. En natuurlijk ken óók ik de periodes van paniek, wanhoop en ongeloof. Maar ik besef altijd in die periodes dat deze periodes weer voorbij gaan. Naar mijn idee blijf je wat dat betreft altijd een keuze houden, want je bent zelf verantwoordelijk voor hoe je je tot de overledene verhoudt.'

Als mensen vragen hoeveel kinderen je hebt, zeg je dan
één of twee?

'Dat ligt er een beetje aan wie het vraagt. Meestal zeg ik twee. En als het gesprek vervolgd wordt, bijvoorbeeld via een vraag als 'En, wat studeren ze?', dan schrikken de meeste mensen zich te pletter als ik vertel dat één van hen is overleden. Maar om nou direct 'één kind' te zeggen, dat voelt ook niet goed. Een heel enkele keer doe ik het wel. Dan ben je daar vanaf.'

Hoe is de overgang gegaan van een leven met naar een leven
zonder Floris?

'Dat vond en vind ik nog steeds een moeilijk onderwerp. Jarenlang heeft mijn dagelijkse leven voor een groot deel in het teken van hem gestaan. Er is een groot verschil met het leven dat ik nu leid. Ik kan me van de eerste dagen na zijn overlijden herinneren dat ik die te bizar voor woorden vond. Zo onwerkelijk. Ik had een paar maanden in een heel klein ziekenhuiswereldje geleefd, en opeens was daar die grote, gewone wereld weer. Stond ik daar in een Albert Heijn. Zag ik daar hoe allerlei mensen keuzes moesten maken tussen welke rijst of tapenade ze zouden gaan kopen. Ik wilde het wel uitschreeuwen: 'Hebben jullie wel enig idee wat ik de afgelopen tijd heb meegemaakt?'. Ik voelde zo'n afstand tussen hun wereld en de mijne.

Ik had in het begin last van een soort koudwatervrees. Hoe ging dat ook alweer, leven in die gewone wereld? Hoe geef ik vorm aan dat andere leven? Hoe doe ik? Heel af en toe, zoals bijvoorbeeld wanneer mij gevraagd wordt hoeveel kinderen ik heb, stuit ik nog steeds op het moeilijke daarvan.

Er zijn culturen waarin het gebruikelijk is dat er in de eerste drie maanden na een overlijden volop gegild en geschreeuwd wordt. Dat soort geformaliseerde rouw geeft houvast. In onze cultuur ontbreekt die. Ik vond het echt lastig. Wanneer zal ik weer uit eten gaan? Wanneer ga ik weer naar de bioscoop? Kan ik keihard muziek gaan draaien? Het ging me niet om de vraag wat andere mensen daarvan zouden vinden, maar ik had zelf geen idée.

Hoe ga ik om met zijn verjaardag? Ook dat vind ik een moeilijke. Natuurlijk sta ik er ieder jaar bij stil, maar ik heb nog geen vaste vorm gevonden. Zo'n dag heeft ook iets heel dubbels, want er valt eigenlijk niets te vieren. Niets doen is echter geen optie voor mij. Het eerste jaar heb ik er in kleine kring bij stilgestaan: met de meest betrokken vrijwilligers, een nichtje van me en haar vriend. Maar vorig jaar had ik de hele familie uitgenodigd plus nog wat mensen. Ik merk dat ik dat toch ook wel weer moeilijk vind. Door mensen uit te nodigen dwing je mensen ertoe aan hem te denken. Misschien vinden zij dat zelfs belastend. En eigenlijk wil ik dat liever niet. Ik wil hen niet forceren. Maar het kan niet anders.

Zo'n verjaardag, en de vraag hoe ik daar invulling aan moet geven, staat symbool voor een groter onderwerp: hoe houd ik levend dat er een leven met Floris is geweest? In welke mate sta ik daarbij stil? In hoeverre deel ik het met anderen? In al die jaren met Floris had ik veel mensen leren kennen uit het lichamelijk gehandicaptenwereldje. Dat zijn zowel professionals als vrijwilligers. Met sommigen hield ik de eerste tijd nog contact, gewoon, omdat het goed klikte. Maar als je bij elkaar komt, is herinneringen ophalen het belangrijkste dat je doet. Dat kan enige tijd heel fijn zijn, maar er komen geen nieuwe herinneringen meer bij. Ontmoetingen krijgen dan, in mijn beleving, steeds meer een kunstmatig tintje. Alsof je samen een kunstje opvoert. Daar beleef ik geen plezier meer aan. En dus heb ik ervoor gekozen sommige contacten te laten doodbloeden.

Zijn graf is niet ver van mijn huis. Op zijn grafmonument staat met grote letters 'Kanjer'. Dat zie je er van verre al op staan. Soms ga ik er twee keer per dag naar toe, soms twee maanden niet. Ik kan momenten hebben dat ik bij het graf sta en me dan afvraag: 'Is dit allemaal werkelijk gebeurd? Ben ik een zoon verloren?' Het is zoiets bepalends in je leven, het is zo groot. Soms kan ik me het nog steeds niet voorstellen. Misschien is het ook te groot voor woorden, zo'n ervaring. Het graf zorgt voor een dubbelheid: aan de ene kant roept het dus die vragen op - Is het werkelijk gebeurd? - en aan de andere kant staat het symbool voor het moment in mijn leven dat alles anders werd.'

Kun je zeggen dat je door de ervaring een levensles hebt geleerd?

'Dat ik een levensles geléérd heb, vind ik wat overdreven klinken. Er is wel een les bevestigd, en dat is het idee dat het leven niet maakbaar is. Ik zie bij veel mensen om mij heen dat zij daar wel vanuit gaan, maar het is niet zo. Het leven is zo onvoorspelbaar. Wat ik nu met Floris heb meegemaakt zegt niets over wat ik nog met Ivo zal meemaken. In het jaar na Floris' overlijden heb ik tweemaal sterk gedacht dat Ivo óók zou overlijden. De eerste keer was tijdens een vakantie in Spanje. We waren aan de Middellandse zee, bij een mooie baai met mooie rotsen. Ivo kondigde aan dat hij daar met vrienden vanaf ging springen. Ik zag direct voor me hoe gevaarlijk dat zou kunnen zijn. Ik voelde die angst: 'Oh nee hè, niet ook mijn tweede zoon.' Maar ik vond ook dat ik me niet door angst moest laten leiden. Ik heb hem niet beperkt. Hij is er vanaf gaan springen en het is allemaal goed gegaan.

Wat maanden later had hij - zo bleek achteraf - een blindedarmontsteking. Hij voelde zich in korte tijd slechter worden, dus wij naar de huisartsenpost. Daar werden we doorgestuurd naar de Spoedeisende Hulp. We moesten wachten. Op een gegeven moment duurde het mij te lang. Ik ben naar de receptie gestapt en ik heb gezegd: 'Ik heb vorig jaar een zoon moeten begraven, dat wil ik dit jaar niet nóg eens meemaken.' We werden toen snel geholpen. Diezelfde avond is hij geopereerd. Wat ik hiermee wil zeggen is: Het leven is niet maakbaar, maar dat wil dus niet zeggen dat je er geen invloed op uit kunt oefenen.'

Susan, de dochter van Cees en Wies, was bijna
11 jaar toen ze op 3 februari 2003 plotseling een
levensbedreigende hersenbloeding kreeg. Drie dagen
later overleed ze.

Cees bracht het leven het eerste half jaar na het
overlijden van Susan in een permanente staat van
radeloosheid door. Dankzij gesprekken met een
psycholoog lukte het hem weer perspectief te vinden
op een leefbaar leven. 'Ik mocht niet lachen van
mezelf, maar ik kon ook niet huilen. Ik had daarmee
een deksel op het vat vol emoties gelegd.'

*Het gesprek voor dit hoofdstuk werd vijf jaar na het
overlijden van Susan gevoerd. Cees woont met zijn vrouw
Wies en hun dochter Nikki (1987) in Tiel.*

Op de foto:
De favoriete Barbie van Susan.

Cees:

Mensen moeten me maar nemen zoals ik ben

—

Je hebt een boek over Susan geschreven, 'Susan'.

'Achteraf gezien heeft dat een belangrijke functie gehad in het leren omgaan met het verlies van Susan. Ik was enkele maanden na haar dood al begonnen met aantekeningen maken, maar het lukte niet er wat van te maken. In de zomer van 2003, ruim een half jaar na haar overlijden, had ik het eerste hoofdstuk grotendeels af, maar verder kwam ik niet. Ik zat vast. Pas een jaar later in de zomervakantie vlogen de teksten eruit. Vervolgens heeft het nog even geduurd voordat er echt een boek lag. Ik heb het in eigen beheer uitgegeven.

Het is moeilijk te omschrijven wat precies de waarde van het schrijven is geweest. Wat volgens mij van belang is geweest is dat ik het hele gebeuren nog eens gedetailleerd van A tot Z heb beleefd. Het was allemaal ook zo snel gegaan. Susan had een bloedneus gehad. Een week later, in een maandagnacht, leek ze een epileptische aanval te hebben. We gingen naar het ziekenhuis. Daar bleek dat ze een levensbedreigende hersenbloeding had gehad. Het bloeden stopte niet en het viel ook met een operatie niet te stoppen. Donderdagochtend is ze overleden.

Vanaf dat moment wilde ik alleen maar met Susan bezig zijn. Die wens heb ik jarenlang gehad en ook jarenlang kunnen uitvoeren. Nog steeds begint en eindigt de dag met Susan in mijn hoofd. In het begin kon ik me nadrukkelijk met haar bezighouden doordat we ons op de uitvaart moesten concentreren. Wat later moest er een grafsteen komen. Daar ben ik druk mee bezig geweest. Weer wat later heb ik een glazen kunstwerk gemaakt. 'Een boek' was in feite het volgende project. In mijn omgeving had iedereen mijn verhalen over Susan al 100 keer gehoord. Het schrijven was een andere, concrete manier om met haar bezig te zijn. Het boek is tot nu toe mijn laatste project. Dat ebt nog wel een tijdje door. Mensen die het gelezen hebben reageren erop, en daar kan ik dan vervolgens weer op reageren.

Het voelde daarna een tijdje behoorlijk ongemakkelijk om geen volgend project te hebben. Ik ben geforceerd op zoek gegaan naar een volgend iets. Nu heb ik me erbij neergelegd dat dat er niet is. In de hoop, of vanuit de overtuiging, dat er wel weer iets nieuws op mijn pad komt.'

Je vrouw Wies ging er anders mee om. Zij dook er niet in,
zoals jij. Hoe blijf je ondanks die verschillen bij elkaar?

'Wies heeft vaak de neiging moeten onderdrukken mij van de bank af te schoppen. Het enige dat ik wilde was bezig zijn met Susan, en meer niet. Avond aan avond heeft ze met me zitten praten. Telkens maar weer hetzelfde verhaal, in feite. Ik was geen makkelijke man om mee om te gaan. Ik trok alle aandacht naar mij toe. Door mij ook die aandacht te géven, kon ze mij overeind houden. Later heeft ze gezegd dat dat bijna als een instinctieve reactie voelde: de minst zwakke kan de ander ondersteunen. Zo werkte dat blijkbaar bij ons. Indirect heb ik haar met mijn gedrag misschien wel weggejaagd. Wies is na vier weken alweer begonnen met werken. Dat was haar manier om overeind te blijven.

Voordat Susan overleed hadden we al een goede relatie. Van belang voor een goede relatie is dat je de ander de ruimte geeft, maar tegelijkertijd moeite blijft doen te begrijpen waarom de ander doet zoals hij of zij doet. Als je beiden in rouw bent, speelt dat des te meer. Je zit met je eigen verdriet, je volgt je eigen spoor in de verwerking, maar aandacht voor die ander blijft noodzakelijk om bij elkaar te blijven. En ook: respect houden voor hoe die ander het doet. Niet veroordelen dus. Want dat levert afstand op. Je moet elkaar wel proberen vast te houden in het verwerken. Ook al is de slotsom dat je uiteindelijk alleen staat in het rouwproces. Hoe dichtbij je ook staat bij de ander, en hoezeer je ook om de ander geeft: het blijft een andere persoon. Jij bent die andere persoon niet. Iedereen verwerkt een ervaring als deze op een eigen manier. Maar door die twee individuele processen regelmatig in een gesprek bij elkaar te brengen - gewoon, door van tijd tot tijd stil te staan bij vragen als: hoe gaat het met je, waar sta jij nu? - is het mogelijk niet uit elkaar te drijven.'

Je bent met een psycholoog gaan praten. Hoe was dat?

'Op een gegeven moment zagen we in dat we elkaar dreigden kwijt te raken. We zagen ook in dat de sleutel tot verandering in mijn gedrag zat. Het eerste half jaar was ik permanent radeloos. Ik wist niet hoe ik moest overleven. Ik wist niet eens of ik nog wel wílde leven. Stond ik weer eens bij een spoorwegovergang te wachten, en dacht ik: 'Als ik nu uit mijn auto stap en voor de trein spring, ben ik misschien weer bij Susan.' Als ik de heilige overtuiging zou hebben gehad dat ik haar dan terug zou zien, zou ik waarschijnlijk zijn gesprongen. Het leven interesseerde me nauwelijks. Achteraf ben ik blij dat ik die overtuiging niet had.

Ik was niet de man die Wies had leren kennen. Ondanks alle gesprekken die we samen voerden, kwam ik niet verder. Ik bleef cynisch. Depressief. Ik was mezelf helemaal kwijt. We hebben nog een tweede dochter, Nikki, en ik snapte best dat ik voor haar en

Wies verder moest gaan met leven, maar ik wist echt niet hoe. Wies heeft me voor het blok gezet: je moet nú hulp gaan zoeken. Ze had al zoveel geduld met me gehad, er moest wat gebeuren.

Door samen te erkennen dat ik de weg kwijt was en dat we niet wisten hoe we verder moesten gaan, stonden we wel aan het begin van een oplossing. In feite heeft Wies me uitgedaagd om weer voor het leven te kiezen. Want eigenlijk zijn er maar twee keuzes: je kiest voor de dood, of je kiest voor het leven. Ik ben hulp gaan zoeken en ben met een psycholoog gaan praten. Dat is keihard werken geweest. Want ik wilde wel voor het leven kiezen, maar dan wel voor een leefbaar leven. Ik had alleen geen flauw idee hoe ik weer perspectief op een dergelijk leven kon vinden. Het zoeken daarnaar, onder begeleiding van die psycholoog, bracht me telkens bij de pijn van het verdriet. Daar moest ik doorheen, keer op keer. Ik was woedend over wat er met Susan gebeurd was, maar ik had daar nooit iets mee gedaan. Ik had niet lopen schreeuwen, ik had nergens mee gegooid of geslagen. Ik wist me geen raad met mijn gevoel. Zo was het.

Dit praten is, achteraf bekeken, niet de tovertruc geweest waardoor ik 'alles' opeens kon overwinnen, maar het heeft wel een belangrijk steentje bijgedragen aan mijn herstel. Ik zag hierdoor onder andere in dat ik mezelf allerlei normen had opgelegd over hoe ik moest zijn. Dat ik geen plezier meer mocht hebben bijvoorbeeld. Of dat ik pas recht deed aan Susan als ik me precies kon verplaatsen in hoe zij haar laatste dagen zou hebben ervaren. Daardoor keerde ik in mijn hoofd telkens weer terug naar die tijd.

Ik kan me nog herinneren dat ik de eerste keer weer lachte. Dat was op 12 januari 2004, bijna een jaar na het overlijden van Susan. Ik was naar een voorstelling van Youp van 't Hek geweest. Dat was, zeg maar, een therapeutische keuze. Na de eerste lach voelde ik me erg schuldig. Maar ik heb het proberen toe te laten. En het lukte. De verkramping ging eraf. Dat had ook een ontspannende werking op mijn omgeving. Eerder vond ik dat anderen ook niet mochten lachen. Lachende mensen vond ik zelfs storend. Het leven was immers niet leuk, dus hoezo kon er dan gelachen worden? Het moest over Susan gaan, de rest vond ik al snel onnozel. Verjaardagen werden ook door die bril bekeken. Als het niet over Susan ging, was er niets aan en ging ik weer.

Ik mocht niet lachen van mezelf, maar ik kon ook niet huilen. Ik had daarmee een deksel op het vat vol emoties gelegd. Zoals Youp me weer aan het lachen heeft gekregen, zo heeft het opzoeken van de pijn me aan het huilen gekregen. En huilen bleek het ventiel te zijn waardoor dat vat kon leeglopen. Ik zat letterlijk vol verdriet. Door de emoties te laten stromen, kon ik wat meer ontspannen in het leven komen te staan. Kon ik wat aardiger voor mezelf en de omgeving worden.'

Wat heeft jou, naast 'de projecten' en het praten, nog meer geholpen?

'Wat van belang is geweest, is om heel bewust om te gaan met speciale dagen als Sinterklaas, Kerst en verjaardagen, of speciale periodes als vakanties. Wat wil ik? Wat wil Wies? Wat wil Nikki? We bespreken dat en maken daar keuzes in. We wilden dat soort dagen niet zomaar voorbij laten gaan, we wilden daar grip op krijgen. We delen die keuzes met anderen. Zodat ook de omgeving weet wat we doen. Onze ervaring is dat we onze familie en vrienden daarmee helpen, door die duidelijkheid te geven.

Bij de eerste keer Kerst na het overlijden van Susan wilde ik bijvoorbeeld helemaal niets doen. Ik wilde geen kerstboom en ik wilde het ook niet op één of andere wijze 'vieren'. Wat bij mij toen sterk meespeelde is dat niets meer hetzelfde als voorheen mocht zijn, omdat niets meer hetzelfde als voorheen wás. Het voelde als een ontkenning van het overlijden van Susan. Dus konden we maar beter niets doen, vond ik. Wies en Nikki waren het daar niet mee eens. We zijn toen op een compromis uitgekomen dat voor ons alle drie leefbaar was: in de kamer stond een grote glazen vaas met rode takken erin, en Wies had in de keuken een miniboompje met mini-lichtjes neergezet.

Dit jaar is het allemaal vijf jaar geleden. We hebben er in die februaridagen, rondom de data waarop ze ziek werd en is overleden, nadrukkelijk bij stil gestaan.

Nikki, die inmiddels in Maastricht is gaan studeren, is wat dagen thuis geweest. Er zijn mensen uit de buurt op bezoek gekomen en we zijn naar haar graf in Tilburg gegaan. Binnenkort, rond haar geboortedag 4 april, gaan we een herdenkingsdienst houden.

Samen met Wies wandelingen maken: ook dat is een belangrijk steentje geweest op weg naar herstel. Vanwege het bewegen, want dat is altijd goed tegen de stress, maar ook vanwege het samen zijn. Niet dat er altijd iets gezegd werd, want we kunnen ook ieder in onze eigen gedachten zijn, maar je bent wel samen. Daardoor deel je toch iets. Voor het overlijden van Susan gingen we maar zelden samen wandelen. We zijn ermee begonnen op de dag na de begrafenis, omdat de muren op ons afkwamen. We zijn naar een tuincentrum gewandeld om een mand te kopen. En we zijn het blijven doen. Nu doen we het zelfs als we op vakantie zijn.

Ook het bezoeken van haar graf doet me goed. Susan is niet bij ons in de buurt begraven, maar zo'n 70 kilometer verderop, in Tilburg, de stad waar mijn ouders wonen. Ik had niet verwacht dat het graf op de één of andere manier een functie zou krijgen. Toch is die er wel. Als ik er een paar weken niet ben geweest móet ik er naar toe. Dat geldt ook voor als we op vakantie zijn geweest. Dan voel ik na terugkomst die behoefte er weer even te gaan kijken. Ik ga soms alleen, soms samen met Wies. Als ik er alleen ben, ben ik na vijf of tien minuutjes alweer weg. Ik heb er geen spijt van dat ze niet dichterbij huis begraven is. Mijn ouders verzorgen het graf. Ik wil er gewoon even bij zijn. Soms staar ik alleen maar wat. Soms zeg ik iets. Het heeft voor mij waarde, omdat ik zo even helemaal met Susan bezig kan zijn.

Uiteindelijk heeft ook het oppakken van het werk een bijdrage geleverd aan het vinden van een leefbaar leven. Het werk geeft structuur aan een week, of aan een dag. Er worden weer dingen van je verwacht. Er worden weer delen van jezelf aangesproken die blijkbaar ongeschonden zijn. Het willen voldoen aan die verwachtingen bijvoorbeeld. Dat gaf me een prettig gevoel, om te merken dat ik niet in alles kapot was.'

Heeft het overlijden van Susan jou veranderd?

'Ik ben wat meer egoïstisch geworden. Of misschien bedoel ik vooral dat ik minder gevoelig geworden ben voor de oordelen van anderen. Eerder had ik het altijd wel in me om rekening te houden met wat anderen dachten. Het lijkt ook alsof het minder belangrijk is geworden jezelf te moeten bewijzen. Mensen moeten me maar nemen zoals ik ben. Dat gevoel was er eerst niet, maar nu wel.

Ik voel me direct schuldig als ik het zeg, maar in feite heeft de dood van Susan ook verrijkende kanten. Wat ik bedoel is dat ik door haar overlijden anders in het leven ben komen te staan. Sinds ik mijn cynisme ben kwijtgeraakt, en het idee naar de achtergrond is verdwenen dat het leven per definitie waardeloos is omdat ik mijn dochter ben verloren, kan ik beter relativeren. Dat heeft me veel kracht opgeleverd. Er bestaan eigenlijk geen echt grote problemen meer, zo voelt het. We zijn er met ons drieën in geslaagd om met elkaar verder te gaan. Na 'zoiets'. Ik zie niet in dat er iets moeilijkers op ons pad kan komen.

De relatie tussen Wies en mij heeft zich verdiept. Ook dat kan ik als een zegening zien. De relatie was al in het geheel niet slecht, maar we zijn nog *closer* geworden. Ik kan nu zeggen dat ik geen slecht leven heb. Dat ik gelukkig ben. Ook al zal ik Susan altijd blijven missen.'

Drie jaar later

'Een aantal dingen is nog precies zoals drie jaar geleden. Nog steeds kan ik tot in detail die film afspelen: vanaf de maandagnacht dat ze een epileptische aanval kreeg, tot haar overlijden op de donderdagochtend. Ook begint en eindigt de dag nog steeds met Susan. Haar foto staat op mijn nachtkastje. Voordat ik 's avonds het bedlampje uitdoe, zeg ik nog wat tegen haar. Ik vind dat niet dramatisch. Het hoort gewoon bij mijn leven.

Haar graf bezoek ik in dezelfde onregelmatige regelmaat als toen. Het is maar net hoe het uitkomt, maar het blijft trekken. Soms ben ik voor mijn werk in Tilburg, maar is er geen tijd om naar de begraafplaats te gaan. Dan voel ik me schuldig. Alsof ik haar in de steek laat.

Het werk gaat goed, ik zit beter in mijn vel dan toen. Een nieuw 'project' is er nog niet gekomen. Althans: ik heb wel een idee, maar iets houdt me tegen om dat idee uit te voeren. Ik hou het ook nog liever voor mezelf. Want ik ben bang dat ik terugschiet in dat radeloze van toen. Dat cynische. Dat gevoel van 'Het hoeft allemaal niet meer'. Dat zou niet alleen mijn werk frustreren, maar dat zou mijn hele leven weer overhoop gooien. Ik weet gewoon niet of het verstandig is om er op dit moment mee aan de slag te gaan. Als ik dat niet doe, weet ik zeker dat ik gewoon kan blijven functioneren. Als ik het wel doe, ga ik risico's lopen. Natuurlijk: ik sta nu veel steviger in mijn schoenen dan toen. Dus misschien is de kans dat ik terugschiet in dat radeloze van destijds relatief gering. Maar toch hik ik er tegenaan om aan het project te beginnen. Die aarzeling is er niet voor niets. Het moment zal vast nog wel een keer komen. Nu is het nog te onveilig.

Sinds kort draag ik het armbandje van de VOKK (Vereniging Ouders, Kinderen en Kanker). Het telt de kleuren van de regenboog, en er staat 'Kanjers met lef' op. Ik vind het niet alleen een mooi bandje, ik vind het ook een mooie manier om ernstig zieke kinderen en hun ouders te steunen. Als ik eerlijk ben, draag ik het ook voor mezelf; het bandje leidt al snel tot de vraag wat dat is. De meeste mensen kennen wél het gele Livestrong-bandje van Lance Armstrong, maar deze niet. Als ik dan vertel wat het betekent, krijg je vaak de vervolgvraag of ik ook een kind aan kanker heb verloren. 'Nee, maar een dochter van mij is wel overleden.' Dan kan ik over Susan praten. Die behoefte is er nog steeds. Ik verwacht niet dat dat ooit zal ophouden.'

Nando

Toen Nando op Tweede Kerstdag van 2002 geboren
werd, hoorden zijn ouders Karin en Chris al snel dat
hij niet oud zou worden. Daarvoor had hij teveel
lichamelijke en geestelijke beperkingen. Nando
overleed op 9 juni 2005.

Aan welke ziekte Nando leed, is nooit duidelijk
geworden. Daar kon Karin zich gemakkelijk bij
neerleggen. 'Veel belangrijker was dat zijn leven zo
goed mogelijk zou zijn, hoe kort of lang dat ook
zou duren.'

*Het gesprek voor dit hoofdstuk vond zes jaar na het
overlijden van Nando plaats. Karin woont met haar man
Chris en de kinderen Joëlla (2004) en Finley (2007)
in Culemborg.*

Op de foto:
Het muziekdoosje van Nando.

Karin:

Het missen blijft, maar de heftige pijn in mijn hart is verdwenen

—

Je wist dat Nando niet oud zou worden.

'Klopt. In het ziekenhuis bleek al direct na zijn geboorte dat hij meervoudig gehandicapt was. Lichamelijk had hij afwijkingen aan zijn armpjes en beentjes, maar dat hij geestelijk beperkingen had zagen we pas later. Al snel waren er problemen met zijn organen. De eerste maanden was het iedere dag spannend of hij het eind van de dag zou halen. Hij heeft een tijd op de Intensive Care gelegen. Pas na tweeëneenhalve maand konden we hem meenemen naar huis. Hij had veel zorg nodig, maar dat hebben we hem, met dank aan de goede hulp van zijn opa's en oma's, in de jaren die daarop volgden kunnen geven.

Hij verdroeg geen voedsel, dus hij groeide niet. Toen hij overleed woog hij niet veel meer dan zijn geboortegewicht. De artsen hebben nooit kunnen achterhalen aan welk syndroom hij leed. Maar dat we de wedstrijd zouden gaan verliezen, was vanaf het begin duidelijk. In feite was hij de hele dag bezig met het verwerken van het eten. Hij kreeg speciaal astronautenvoedsel. Soms zat het eten hem zo dwars, dat hij er benauwd van werd. Het werd na verloop van tijd ondraaglijk. We vroegen ons hardop af of dit nog een menswaardig leven was, en of we dit nog wel moesten rekken. Hij was één jaar oud geworden, hij was twee jaar geworden, maar moest hij ook nog wel drie worden? Toen hij bijna 2,5 jaar was, bespraken we dit met de artsen in het ziekenhuis. Hij kreeg in die tijd weer zo'n benauwde periode en hij voelde zich lichamelijk steeds ongemakkelijker. Dit merkten we doordat hij zichzelf heel veel overstrekte. Zijn lijfje zat vol spanning en het was duidelijk dat hij zich comfortabeler moest gaan voelen. In overleg met de artsen hebben we toen besloten om een morfinepleister op te plakken. Hij sliep direct in. We dachten dat hij zich overgaf aan de vermoeidheid die hij in de dagen, maanden en jaren van daarvoor had opgebouwd. Maar hij is niet meer wakker geworden. 24 uur later is hij in zijn slaap overleden. De morfine bleek achteraf het laatste kleine zetje te zijn geweest. Hij was echt op.'

Nando was jullie eerste kind. Was er kans op herhaling?

'In het ziekenhuis konden ze niet uitsluiten dat er een kans op herhaling was, maar wijzelf dachten vooral dat het een foutje van de natuur was. Nando had even goed in een eerder stadium een miskraam kunnen zijn geweest. Toch hebben we bij de volgende zwangerschap, waarvan een jaar later al sprake was, extra onderzoek en controles laten uitvoeren. We hebben dus wel meer op safe proberen te spelen dan we anders zouden hebben gedaan. Toen ons meisje Joëlla geboren was, bleek dat we ook een 'gewoon gezond kind' konden krijgen.

Na haar geboorte kregen we een derde kind, Finley. Ook tijdens die zwangerschap hebben we extra controles gehad. We hebben daarna lang getwijfeld over de vraag of we wel of niet een volgend kind zouden willen. Ik had altijd drie kinderen willen hebben. Nu had ik er twee bij me, en één in mijn hart. Wilde ik er 'in het echt' drie bij me, of was het zo genoeg? Gevoelsmatig zei ik 'Ja' tegen die vierde. Maar rationeel was er een 'Nee'. Misschien moet ik me heel gezegend voelen met de situatie van nu, dacht ik uiteindelijk. Misschien moeten we het niet op de proef stellen. Het voelde teveel alsof we het lot zouden gaan tarten.'

Maken de ervaringen met Nando je tot een andere ouder? Ben je eerder ongerust bijvoorbeeld?

'Ja en nee. Als er een tijdje flink gehoest wordt, wat mogelijk niets meer dan een beginnende verkoudheid of griep is, ga ik misschien eerder dan gemiddeld naar de huisarts. Maar aan de andere kant kunnen we ook meer relaxed zijn. Finley heeft bijvoorbeeld geen linkernier en ook geen linker teelbal, en moest daarvoor twee keer geopereerd worden. Dan merk ik dat we daar heel makkelijk mee omgaan. Bijna als een tandartsbezoek, bij wijze van spreken. Wij zijn goed in relativeren geworden; met één nier valt immers prima te leven. En voor de vruchtbaarheid maakt het niets uit. Hij hoeft ook pas op z'n 13e voor controle terug te komen.

Wat het verschil maakt, is dat je in de ene situatie bepaalde kennis hebt - er valt prima te leven met één nier, voor de vruchtbaarheid maakt het niets uit - en in de andere situatie niet. Als ik eenmaal met het hoestende kind bij een dokter ben geweest en hij heeft gezegd: 'Ik heb de longen gecontroleerd en ik hoor niets afwijkends', dan is het voor mij ook weer prima.'

Op welke wijze is Nando aanwezig in jullie gezin?

'Nando hoort er helemaal bij. Als zoon van Chris en mij, als broer en broertje van Joëlla en Finley. Hij maakt onderdeel uit van ons gezin. Er zijn diverse foto's van hem in de huiskamer. We gaan regelmatig met zijn allen naar zijn graf. Als Joëlla een vriendinnetje mee naar huis neemt om mee te spelen laat ze haar bij het eerste bezoek altijd een foto van Nando zien. 'Dit is mijn broer, en hij is dood', zegt ze dan. 'Hij is nu een sterretje in de hemel.' Ze zit nog net in de leeftijd dat de dood te abstract voor haar is. Je merkt dat ze vragen begint te krijgen bij die letterlijke kant van 'dat sterretje in de hemel'. Het definitieve karakter van de dood lijkt langzaam tot haar door te dringen. Soms zegt ze: 'Kon hij maar even hier zijn.' En kortgeleden vroeg ze: 'Hoe kan het nou dat hij in een kistje is gelegd en onder de grond is begraven maar tegelijkertijd een sterretje in de hemel is?'

Nando is op Tweede Kerstdag geboren. Op die geboortedag komen onze beste vrienden en naaste familieleden bij ons op bezoek. We eten gezamenlijk en vieren echt een kinderfeestje. Zo hebben we eens een ritje met een paardentram gemaakt en zijn we ook eens een speurtocht in de sneeuw gaan maken. Het is in mijn beleving geen zware dag. Er is ruimte voor een lach en een traan. We proosten op Nando. Hij is symbolisch aanwezig via een kaarsje. Ik kan me niet voorstellen dat ik ooit wil ophouden met het vieren van zijn geboortedag. Deze dag hoort er gewoon bij. Ik heb veel minder met zijn sterfdag. Zijn sterfdag is een verdrietige dag. Hij is dan zeker in mijn gedachten, maar ik vier het liever op een positieve manier, en daar geeft zijn geboortedag meer aanleiding voor.'

Is het gemis door de jaren heen veranderd?

'Hij is nog dagelijks in mijn gedachten. Dat gaat bijna ongemerkt. Er zijn nog zoveel dingen die me aan hem herinneren. Ik kan me van de eerste maanden na zijn dood herinneren dat ik hem iedere avond voor het slapen gaan bewust voor ogen hield. Dan ging ik gedetailleerd zijn gezicht langs. Dan zag ik precies zijn ogen, zijn wenkbrauwen, zijn neusje, zijn wangen. Dat is op een gegeven moment gestopt. Van Nando weet ik nog steeds beter hoe hij eruit heeft gezien dan toen Joëlla of Finley één of twee jaar oud waren. Maar dat is niet zo vreemd, omdat Nando nauwelijks groeide én omdat Nando niets liever deed dan bij iemand in de armen liggen. Ik heb een gat in de bank gezeten, met hem in mijn armen. Hij is in letterlijke zin veel meer uren nabij geweest dan Joëlla en Finley. Ook maakte hij bij het ademhalen een bepaald geluidje, een 'piepje'. Ook dat weet ik me nog precies voor de geest te halen. Dat geldt ook voor zijn geur.

We hebben tijdens Nando's leven altijd dagboekjes bijgehouden. Ook zijn opa's en oma's zorgden regelmatig voor hem. In die dagboekjes konden ze lezen hoe het de dagen ervoor met hem was gegaan. Ik lees nog regelmatig in die dagboekjes. Ze zijn me erg dierbaar, ook al staan er vooral teksten in over allerlei praktische zaken, zoals 'Ging het goed met het eten en boeren?' en 'Heeft hij goed geslapen?' Ook hebben we een paar fotoboeken. Vooral als ik door die fotoboeken blader, mis ik hem enorm en komen vaak de tranen. Dat verandert niet. En dat verbaast me eerlijk gezegd. Ik had gedacht dat dat minder zou worden naarmate de tijd vordert. Dat ik makkelijker aan hem zou kunnen denken of hem op foto's zou kunnen zien, zonder dat de tranen kwamen. Toch verandert er wel iets. In het begin kreeg ik echt pijn in mijn hart van verdriet als ik aan hem dacht of als ik over hem sprak. Zowel om wat hij heeft moeten meemaken, als de pijn van het verlies. Nu, heb ik het idee, is dat verlies geaccepteerd. Ik kan vaker met een fijn gevoel aan hem denken. Het missen blijft, maar die heftige pijn in mijn hart is verdwenen. Eerlijk gezegd verwacht ik niet dat dat gevoel hem te missen ooit zal verdwijnen. Ik zal dat altijd met me blijven meedragen.'

In hoe jij omgaat met het verlies, zijn daar grote verschillen met Chris?

'Nee, er zijn meer overeenkomsten tussen ons dan verschillen. In de tijd dat Nando ziek was hebben we een aantal keer met een maatschappelijk werker in het ziekenhuis gesproken. Hij zei: 'Jullie zitten op hetzelfde eiland'. Zo voelde het toen, en zo voelt het nu nog steeds. Het enige duidelijke verschil is dat ik graag over Nando praat. Chris heeft dat niet zo. Ik zou me kunnen voorstellen dat hij collega's op zijn werk heeft die niet weten dat hij een kindje verloren heeft. Als hem wordt gevraagd hoeveel kinderen hij heeft, zegt hij eerder twee dan drie. Niet om het weg te stoppen, want ik weet dat hij Nando in z'n hart meedraagt, maar omdat hij het niet nodig vind. Ik heb daar meer behoefte aan. Op mijn werk komt Nando ook regelmatig aan de orde. Ik werk in een relatief klein team: iedereen kent het verhaal. Als er een nieuwe collega komt, is er altijd een kennismakingsgesprek. Ook daarin vertel ik het. Ik voel me daar prettiger bij. Pasgeleden vertelde een collega over de begrafenis van zijn oma. Ik werd er plotseling heel emotioneel van. Het overviel me. Ik weet niet waar het aan lag: aan het feit dat het om een begrafenis ging, aan de manier waarop hij het vertelde of aan iets anders. Op zo'n moment hoef je anderen niets uit te leggen als er tranen komen. Dat vind ik fijn.

Je zou misschien verwachten dat ik lotgenoten zou opzoeken, omdat ik met hen over Nando zou kunnen blijven praten. Maar daar heb ik geen behoefte aan en ook nooit gehad. Contact met ouders die in hetzelfde schuitje zitten is ons vanuit het ziekenhuis aangeboden in de tijd van zijn ziekte en ook na zijn overlijden, maar ik denk dat ik genoeg met Chris, vrienden en familie kan delen. Ik sta ook wat huiverig ten opzichte van de verhalen van anderen. Er zit natuurlijk het nodige leed in die verhalen. Ik vind het waardevol om te weten dat er anderen zijn die het ook hebben meegemaakt, maar ik hoef er verder niets over te horen.'

Zie je verrijkende kanten aan je ervaringen met Nando?

'Ik had het natuurlijk liever allemaal niet meegemaakt, maar ik kan er ook met een positief gevoel op terug-kijken. Wat ik al zei: naarmate de jaren vorderen, kan ik makkelijker aan de fijne dingen terugdenken die ik met of dank zij Nando heb meegemaakt. Door Nando's geboorte werd ik voor het eerst moeder. Als mensen vooraf zouden hebben gezegd dat ik jarenlang een gehandicapt kind zou gaan opvoeden, zou ik hebben gedacht dat ik dat niet zou trekken. Maar het ging vanzelf. Het was heerlijk om te merken dat ik heel veel liefde kan geven. Ook hebben de ervaringen voor hechtere banden gezorgd met de mensen die mij het meest nabij zijn. Chris en ik waren al een hecht stel, maar de ervaringen met Nando hebben onze relatie nog sterker gemaakt. Omdat onze vaders en moeders zo nadrukkelijk met ons hebben meegeholpen in de zorg, zijn ook die banden hechter geworden. Dat is eveneens verrijkend te noemen. Ik ben er trots op de mamma van Nando te zijn'

Ben je erdoor veranderd?

'Nee, volgens mij niet. Het leven zelf is wel heel anders geworden. Nando moest 24 uur per dag, 7 dagen in de week verzorgd worden. Toen hij overleed, was er de zorg voor zijn zusje en later ook zijn broertje. Maar nu beide kinderen op school zijn, kan ik opeens dingen voor mezelf doen. Dat vind ik waarschijnlijk minder vanzelfsprekend dan andere ouders. Voor Nando's overlijden kon ik me geen voorstelling maken van een 'normaal' gezinsleven. Nando was het liefst binnen. Dus als we er met Joëlla op uit wilden, bleef Chris of ik meestal thuis bij Nando. Nadat Nando overleden was, gingen we plotseling met zijn drieën op pad. Dat was uniek! Opeens merkten we hoe een gezinsleven beleefd kon worden als je niet aan huis gebonden was.'

Heb je een beeld van waar Nando nu is?

'Zijn lichaam mag dan begraven zijn, maar met zijn geest is hij ergens waar hij het heel fijn heeft. Ik stel me een soort droomland voor. Een wereld waarin hij zonder zijn aardse beperkingen kan spelen met andere kinderen. Hij kan vrolijk en blij zijn. Ik zie hem door een weide lopen, met schaapjes om zich heen. En hij kijkt met een fijn gevoel op ons neer. Dat is het beeld dat ik ervan heb. Of dat is in ieder geval wat ik hem toewens. Ik zou graag een teken willen krijgen, dat hij inderdaad nog steeds ergens is, maar dat heb ik nog niet gekregen. Ik moet waarschijnlijk wachten tot mijn eigen dood. Want ik ga er vanuit dat ik hem dan terugzie.'

Kim, de 12-jarige dochter van Cees en Inge, werd op 12 juli 2003 aangereden door een auto. Een week later overleed ze in het ziekenhuis.

Cees stortte zich na het overlijden van Kim op hardlopen en 'leuke dingen doen'. 'Ik vind ook in zekere zin dat ik daar recht op heb.'

Het gesprek voor dit hoofdstuk werd viereneenhalf jaar na het overlijden van Kim gevoerd.
Ten tijde van het ongeluk woonde Cees met zijn vrouw Inge en zoon Dennis (1985) in Woerden. Vier jaar na het ongeluk, is hij gescheiden en verhuisde hij naar Tiel.

Op de foto:
De gympen die Kim droeg tijdens het ongeluk.

Cees:

Als het geluk me niet vanzelf toe lacht, ga ik het wel opzoeken

—

Wat is er gebeurd?

'Kim was met een vriendin met de bus onderweg van Woerden naar Utrecht. Ze stapten even uit in Harmelen, waar de oma van die vriendin woonde. Ze stapten uit de bus, en staken direct de straat over. Ze werd geschept door een auto. Ze liep daarbij zwaar hersenletsel op. Uiteindelijk is ze er een week later aan overleden.'

Wat is jou tot steun geweest?

'In de eerste maanden hebben we veel bezoek gehad. Dat was absoluut pijnverzachtend. En dat merk je pas als die aandacht wegvalt. Dan gaat het opeens niet meer dagelijks over Kim. Eerder leek het alsof ze er toch nog een beetje bij was. Maar de aandacht van de omgeving vervliegt. Op de eerste verjaardag na haar ongeluk was de kamer vol bezoek. En vol zonnebloemen, bij uitstek hét symbool voor Kim. Een jaar later was het 80 procent minder druk.

Als de aandacht wegvalt, begin je pas echt met opkrabbelen. Mijn zoon Dennis, die 18 jaar was toen Kim overleed, ging veel naar de ouders van zijn toenmalige vriendin. Daar zat hij bijna ieder weekend. Ook hij zocht een weg om ermee om te gaan. Doordeweeks was er school en werk, en zagen we hem nauwelijks. Eigenlijk werden mijn vrouw en ik opeens heel snel oud. Zo voelde dat toen althans voor ons. Kim was weg, maar ook Dennis was vaak niet thuis. Alsof ze allebei plots uit huis waren gegaan. Ik heb Dennis er wel op gewezen. Ik heb aandacht gevraagd: 'Hallo, wij zijn er ook nog'. Maar daarin kon ik ook weer niet te ver gaan vond ik, want voor je het weet ga je iemand claimen. En dat wilde ik niet. Ook hij had er 'recht' op om zijn verdriet te verwerken op een manier die hijzelf koos.

In het begin was ik erg onrustig. Ik kon niet stil op de bank zitten. Ik wilde bezig zijn. Ik heb zelf het graf van Kim ontworpen. Ik heb elk detail uitgewerkt, werktekeningen gemaakt, een waar miniatuurtje van het graf gemaakt... Daarin heeft een stuk van de verwerking gezeten, om dat alles te doen. Omdat ik goed kan klussen bood ik iedereen in mijn omgeving aan om te komen helpen. Wie er ook maar aan het verbouwen was, ik hielp mee. Ook in ons eigen huis heb ik van alles verbouwd. Maar dat houdt op een gegeven moment op. Je kunt niet blijven verbouwen.

In het begin voelde ik het gemis alsmaar groter

worden. Zag ik weer een blond meisje met een paarden-staart, dan dacht ik aan Kim. Of sowieso kleine meisjes met van die friemeldingen in het haar. Ik weet dat het niet redelijk is, maar als ik dan zo'n clichésituatie in de supermarkt zag, waarbij een ouder het kind een standje geeft omdat het bijvoorbeeld om snoep zeurt, dan dacht ik: 'Geniet nou van dat kind, het kan zomaar weg zijn'. Ik zou zelf zo graag Kim weer terug willen, ik zou zo graag goed voor haar willen zorgen. Dat riep het in me op.

In het begin kreeg ik een schok als ik haar naam hoorde. Voelde ik echt pijn. Dacht ik meteen: 'Mijn Kim komt niet meer terug'. Nu is het al anders. Waarschijn-lijk zal haar naam me altijd *triggeren* om het gemis te voelen, maar het doet niet meer zo hartverscheurend pijn. Het is moeilijk te omschrijven wat ervoor in de plaats komt, maar het roept nu eerder vragen op als 'Hoe zou ze nu zijn geweest?'. Of het is een aanleiding om aan dingen te denken die ik met haar heb meege-maakt. Het is wat meer divers allemaal. Ik word er niet meer zo emotioneel van. Wel stil.

Vlak na haar overlijden is de website www.kimvan-duuren.nl in de lucht gegaan, min of meer om haar in leven te houden. Zo'n site is nu vooral gemakkelijk als je nieuwe mensen ontmoet. Op de site staat meer dan ik kan vertellen of met een foto kan laten zien. Na verloop van tijd ben ik minder aandacht aan de site gaan besteden. Maar ik kijk nog steeds regelmatig of mensen een berichtje achterlaten. Als dat zo is, doet me dat goed. Meestal zijn het berichten van mensen die haar hebben gekend, en van haar hebben gehouden. Soms staat er een berichtje op van een onbekende.'

Wat kost je nu het meest moeite?

'Ik ben een perfectionist, dat zag je waarschijnlijk al wel aan mijn huis. Over alles wat er staat, en hoe het staat, is nagedacht. Twee fotolijstjes, twee plantjes... Voor mij 'klopt' het zo. Zo'n ervaring met Kim is iets ongrijpbaars. Het 'klopt' niet, het is fout. Ik had daar geen invloed op. Geen regie over. Dat irriteert me enorm. Ik heb iets niet afgemaakt: de opvoeding van mijn kind. Dat speelt nog steeds. Ik heb het gevoel alsof ik gefaald heb. Het ís niet zo, maar zo voelt het wel. Ik kan daar woedend om worden. Ook om het onrecht dat me is aangedaan, ook al weet ik dat niemand er wat aan heeft kunnen doen. Het is een grote uitdaging voor me om te gaan leren leven met het idee dat ik ergens geen regie over heb.

Het overlijden van Kim heeft een extra wrange kant omdat we juist zo blij waren met haar geboorte. Drie jaar voordat Kim geboren was, hadden we een zwangerschap moeten afbreken. Het kindje bleek het syndroom van Potter te hebben, een afwijking in de aanleg van de nieren. Roy – het was een jongen – zou niet levensvatbaar zijn buiten de moeder. De zwangerschap is opgewekt. Het kindje is tijdens de geboorte overleden. We hebben Roy met zijn drieën begraven.

Bij een volgende zwangerschap bestond het risico natuurlijk opnieuw. Toen mijn vrouw zwanger bleek, hebben we al vroeg het geslacht laten onderzoeken. Het bleek een meisje te zijn. En meisjes kunnen dat syndroom niet krijgen. We waren dus extra blij. Vervolgens werd ze ook nog op mijn verjaardag geboren, op 10 september. Dat maakte alles al extra bijzonder. En vervolgens gebeurt er dit.'

Wat deed of doe je met die boosheid?

'Ik ben heel veel gaan hardlopen. In de eerste jaren heb ik mezelf daarin geforceerd. Ik liep zestig, zeventig kilometer per week en deed daarnaast aan zo'n dertig wedstrijden per jaar mee. Mijn lichaam floot mij terug. Ik kreeg allerlei blessures. Ik wilde hardlopen totdat ik er letterlijk bij neer viel. Ik ging persoonlijke records breken. Ik ging de pijngrens opzoeken en er doorheen. Nu ben ik er wat stabieler in. Ik heb een balans gevonden. Ik heb een tijd teveel van mijn lichaam gevraagd. Ik merkte: ik ben geen twintig meer.

Zo'n ervaring met Kim vervlakte mijn leven. Met het hardlopen heb ik geprobeerd het leven weer op te pakken. Het was een goed streven, maar ik heb wat overdreven. Maar alles was beter dan op de bank zitten en wachten totdat het overgaat. Dan had ik lang moeten blijven zitten.

Ik koppel het hardlopen nu aan 'leuke dingen doen'. Ik ben begonnen aan de grotere marathons, zoals New

York, Boston, Berlijn en Rotterdam. In het buitenland plak ik er een weekje vakantie aan vast. Ik pluk er de vruchten maar van. Als het met Kim niet gebeurd zou zijn, zou ik dit nooit hebben gedaan. Ik ben pasgeleden ook een weekje naar Turkije gegaan. Weekje zon. Zou ik eerder nooit hebben gedaan. Een vakantie moest een actieve vakantie zijn: minimaal een fietsvakantie. Maar ik geef mezelf er nu de ruimte voor. Ik kan toch niets doen om haar terug te krijgen, ook al blijft dat het liefste dat ik wil. In plaats van wegkwijnen en in de put gaan zitten, kan ik dus maar beter iets van het leven proberen te maken. Als het geluk me niet vanzelf toe lacht, ga ik het wel opzoeken, heb ik gedacht. Zo heb ik kortgeleden een elektrische gitaar gekocht. Muziek is één van mijn passies. Vooral gitaarmuziek van bands als Metallica, Pearl Jam of Deep Purple. Het lijkt me fijn om die muziek zelf te kunnen spelen. Ik heb ook nog een motor. Ik heb daar al lange tijd niet meer op gereden. Misschien pak ik dat ook weer op.

Het 'leuke dingen doen' ging overigens niet vanzelf. Ik heb me lange tijd schuldig gevoeld als ik plezier had. Want dat plezier kon Kim niet meer hebben, dus waarom zou ík dat dan wel kunnen hebben? Op een gegeven moment ben ik gaan inzien dat ik mezelf daarmee tekort deed. Dat was een jaar na het overlijden ongeveer.

Toen Kim overleed had ik een leidinggevende functie. Ik had een leven zoals velen: altijd druk-druk-druk, een leven als een sneltrein. Na Kim kon ik dat allemaal niet meer interessant vinden. Misschien sla ik een beetje door hoor, maar ik vind plezier maken in het leven nu veel interessanter. Ik ben ander werk gaan doen, met veel minder verantwoordelijkheden. Ik zit nu op kantoor, en voel me minder druk-druk-druk. Daar moest ik in het begin wel aan wennen, maar uiteindelijk voelde het goed. Met de nieuwe baan verwerf ik het noodzakelijke inkomen. Daarbuiten geef ik mezelf de ruimte leuke dingen te doen, zoals reizen, fietsen en hardlopen. Ik beleef daar plezier aan. Daar kan ik me met alle gretigheid op storten. En ik vind ook in zekere zin dat ik daar recht op heb.

Ik heb niet meer genoeg aan het leven van daarvoor. Er is iets weggevallen. Misschien haal ik nu meer uit het leven ter compensatie van Kim; zij heeft die mogelijkheid niet gekregen. Het is daarmee een soort dubbele jeugd geworden: die van haar en mij. Mensen zeggen me soms: 'Cees, je bent aan het vluchten. Altijd maar bezig zijn: het is één grote uitvlucht'. Daar heb ik maling aan. Wat is het voor een leven als je er niets uithaalt? Ik vind dat ik nu meer uit het leven haal dan ik eerder deed. Dit leven vind ik interessanter. Ik stel mezelf meer voorop en cijfer mezelf dus minder weg. Daar had ik eerder wel erg sterk de neiging toe. Er zijn ook mensen die zeggen dat de ervaring 'een plek moet krijgen'. Dat zal best zo zijn, maar ik kan daar niets mee. Er is niemand die me vertelt waar die plek is, of hoelang het duurt voor die plek gevonden is.'

Heeft het overlijden van Kim een rol gespeeld in je schei-
ding?

'Nee, de scheiding is niet door het ongeluk van Kim veroorzaakt. Voordien had ik er al mijn gedachten over. De relatie bestond uit samen zijn, maar weinig samen doen. Het vlammetje was uit, zo voelde dat. Ik had nog de hoop dat het goed zou komen, dus ik wilde er nog geen punt achter zetten. Toen Kim verongelukte, was dat idee helemaal van de baan. Voor mijn gevoel zou ik mijn vrouw en mijn zoon enorm in de steek laten. Uiteindelijk heb ik begin 2007 toch de knoop doorgehakt. Ik had er misschien nog op gehoopt dat het ongeluk ons nader tot elkaar zou brengen. Maar dat gebeurde niet. De relatie bleek geen pilaar te zijn die deze ervaring kon dragen.'

Op welke wijze kom je Kim in je dagelijkse leven tegen?

'Allereerst in huis: ik brand iedere dag een kaarsje voor haar. Het miniatuurtje van haar graf staat in de huiskamer. Ik zeg dingen tegen haar foto. Eens in de week bezoek ik de begraafplaats. Ook daar praat ik tegen haar. In gedachten of hardop. Of ze daar ook op één of andere manier is, weet ik niet, maar ik vind het wel belangrijk om te doen. Het is toch een deel van mij dat daar ligt. Ik ga er ook naar toe om haar graf te onderhouden. Zo blijf ik toch nog een beetje voor haar zorgen.

Ik zeg weleens: 'Laat eens merken dat je op één of andere manier bij me bent'. Maar ik merk niets. Ik heb niets met religie, dus mijn beeld van wat dood is, is niet gevormd door een religieuze kijk. Ik heb ook niets met allerlei paranormale dingen. Maar ergens heb ik het idee dat er nog wel wat moet zijn, na dit leven. Ik kan me niet voorstellen dat het met de dood echt ophoudt. Haar ziel of haar geest moet nog ergens zijn.

De plaats waar Kim aangereden is, mijd ik niet. Integendeel: ik kom er regelmatig, omdat de weg waar het gebeurd is zijdelings van een route ligt die ik vanwege een trainingsprogramma loop. Ik had die zaterdagmiddag van het ongeluk een hardloopwedstrijd. Kort voor het ongeluk was ik langs die weg gelopen. Het scheelde niet veel of ik had alles kunnen zien gebeuren. Ik had haar daar kunnen zien liggen. Dat is niet gebeurd. De politie belde bij me aan toen ik net onder de douche stond, terug van het hardlopen. Het eerste wat ik dacht was: 'Dennis...'. Hij had namelijk net zijn rijbewijs. We zijn toen onmiddellijk naar het ziekenhuis gevlogen. Van het hardlopen langs die plaats heb ik een traditie gemaakt. Ik denk en voel een heleboel als ik langs dat plekje kom.

Als mensen me vragen hoeveel kinderen ik heb zeg ik altijd 'Twee, waarvan er één in leven is.' Ik verzwijg het nooit. Ik vind het soms weleens moeilijk als je bijvoorbeeld een formulier van de verzekering of een andere instantie moet invullen, en er is geen mogelijkheid om de naam van Kim in te vullen. Want voor mij hoort ze er gewoon bij. Ik stap daar maar overheen, want ik schiet er niets mee op als ik daarover ga lopen klagen. Het is zonde van de energie.

Ik zet mezelf er soms bewust toe om aan leuke dingen te denken. Hoe zou ze er nu uitzien? Waarmee zou ze nu bezig zijn? Hoe zou ze als puber zijn geweest? Ze had mijn karakter. Ze kon onstuimig en druk zijn. Ze was thuis nadrukkelijk aanwezig. Mijn zoon is een heel rustige jongen. Als Kim zou zijn achtergebleven, zou ze regelmatig stampvoetend de trap op zijn gerend en met deuren hebben geslagen. Dennis doet zulke dingen niet.

Het verdriet en de pijn raak je natuurlijk nooit helemaal kwijt, maar het scherpe is er vanaf. Het verstoort je sociale functioneren niet meer. Ik kan een normaal leven leiden. Daardoor kan ik zeggen: 'Ik heb het verwerkt'. Ik zeg niet dat anderen het zo moeten zien. Of dat zij het net zoals ik moeten doen. Hoe ik het tot nu toe heb gedaan, en hoe ik het nu doe, past bij mij. De veerkracht die blijkbaar in me zit, en het incasseringsvermogen dat ik blijkbaar heb, heeft me hier gebracht. Dit alles had ook de mokerslag kunnen zijn waardoor je niet meer kon opkrabbelen. Dat is het niet geweest. Ik heb me staande weten te houden. En dat is al heel wat.'

Drie jaar later

'Ik was vooral heel boos, in de tijd van het vorige verhaal. Boos op alles en iedereen. Alle moleculen in mijn lijf hadden zo'n optater gehad door dat ongeluk. Er lag niets meer op zijn plaats, zo voelde het. Ik trok een grote muur op en verkoos het om in mijn eentje het verdriet te voelen en het gemis te verwerken. Die tijd heb ik nu wel achter me. Ik ben weer wat meer mijn oude zelf geworden. Ik sta wat meer tussen de mensen. Ben minder gesloten en minder onverschillig. Ik heb een nieuwe relatie en ik ben verhuisd naar een andere stad. Daardoor heb ik een nieuw leven kunnen starten. Voorbij die woede en die boosheid.

In het leven heeft Kim nog steeds een nadrukkelijke plaats. Er gaat eigenlijk geen dag voorbij of ik denk aan haar. Ze is aanwezig in het nieuwe huis, met mooie foto's van haar en een schilderij van zonnebloemen: cadeautjes van mijn nieuwe vriendin. De website is nog in de lucht, en ik kijk regelmatig - net als ik in het vorige verhaal vertelde - of er nieuwe berichtjes op staan. Iedere keer als ik mijn pinpas gebruik zie ik haar, want haar foto staat erop. Ze is ook aanwezig door de wekelijkse bezoekjes aan haar graf. Ik ga er meestal vanuit mijn werk naar toe. Dan zien mijn collega's mij in de pauze met een tasje weggaan en dan weten ze genoeg. In dat tasje zitten dingen als een zeem en een spons. Dat gebruik ik om haar steen schoon te maken. Door dat regelmatig te doen, blijft hij goed wit. Na een uurtje ben ik weer terug.

Hoewel nog meer dan drie jaar geleden geldt dat de scherpe kanten er vanaf zijn, kan ik af en toe nog steeds dat gevoel hebben alsof je maag wordt samengetrokken. Dat overkomt me vooral als ik heel onverwacht aan Kim herinnerd wordt. Als ik opeens iemand zie fietsen die erg op haar lijkt bijvoorbeeld. Ik vind het niet erg om die verkramping te voelen. Ik ben er zelfs wel blij mee. Zou dat er niet zijn, dan zou ik het ervaren alsof ik geen hechte vader-kindrelatie had gehad.

Als ik aan Kim denk, denk ik vooral aan het vrolijke kind dat ze is geweest. Ik koester de beelden die ik in mijn herinneringen heb. Hoe ik haar kon plagen en hoe ze daar dan op reageerde. Hoe ze was als we samen leuke uitstapjes deden. Ik denk veel minder aan hoe ze nu zou zijn geweest als dat ongeluk niet gebeurd zou zijn. Gelukkig maar, want ik denk dat ik daar helemaal gek van zou worden. Dan pijnig je jezelf voortdurend. Dan haal je het 'missen' omhoog, zonder dat het - zoals nu - gepaard gaat met positieve gedachten over haar bestaan. Ik zie dat overigens niet als een prestatie van mezelf. Ik heb niet het idee dat ik daar invloed op heb gehad, of dat ik daarin een keuze heb kunnen maken. Ik denk nu meer dan drie jaar geleden aan dat wat er wél is, in plaats van wat er níet is. Het is het verschil tussen dat glas dat zowel half leeg als half vol kan zijn. Hoe zie je dat? Ik zie het als half vol. Ik ben blijkbaar niet zo'n pessimist. Want de ware pessimist zal dat glas altijd als half leeg zien.'

Noah, de zoon van Elvera en Patrick, overleed na drie maanden aan een stofwisselingsziekte, op 19 april 2004. Dat hij op korte termijn zou overlijden, was twee weken na zijn geboorte door artsen vastgesteld. Elvera en Patrick hadden op dat moment een zoontje (Jessy, toen 3 jaar), en kregen twee jaar later een tweeling: Luna en Iris. Op 7 juli 2006, toen Iris negen maanden oud was, overleed ze door een ongeluk.

Elvera wijst naar een golf van betrokkenheid, van zowel bekenden als wildvreemden, die ervoor zorgde dat ze niet verbitterd raakte. 'We kregen mensen met ons mee omdat we open waren. Door open te blijven hou je contact.'

Het gesprek voor dit hoofdstuk werd respectievelijk vier en twee jaar na het overlijden van Noah en Iris gevoerd. Elvera en haar man Patrick wonen met Jessy (2001) en Luna (2005) in Etten-Leur.

Op de foto: De urnen van Iris en Noah.

Elvera:

De werkelijke verzachting komt van binnenuit

—

Twee kinderen verloren, door twee totaal verschillende oor-
zaken. Dan wordt duidelijk dat geen één verlies hetzelfde is?

'Noah is overleden aan een stofwisselingsziekte, het
syndroom van Zellweger. Het gendefect dat zijn ziekte
tot gevolg had, was bij wijze van spreken tot op de
komma nauwkeurig aan te geven. Dat hij die ziekte had,
én dat hij daaraan zou overlijden, was enkele weken na
zijn geboorte al duidelijk. In zo'n situatie kun je het
overlijden makkelijker plaatsen: er is een aanleiding,
er is een gevolg. Ik had daarmee een afgerond verhaal.
Niet dat dat troost biedt, maar ergens valt er een punt
te zetten: 'Zo is het gebeurd'.

Bij Iris was het een heel ander verhaal. Ze is veron-
gelukt in haar bedje, terwijl wij dachten dat ze sliep.
We weten nog steeds niet precies hoe het gebeurd
is, ondanks nauwkeurig onderzoek van de politie.
Waarschijnlijk heeft ze door bewegingen een grote

knuffel naar de achterkant van haar bed gedrukt. Ze is waarschijnlijk gaan tijgeren. Ze moet de knuffel als een soort schans hebben gebruikt. Ze is half staand, half leunend tegen de achterkant van het bed terecht gekomen en ze is er toen voorover overheen gevallen. Met haar hoofd is ze vast komen te zitten tussen de spijlen van de badstandaard die achter het bed stond. Toen ik boven ging kijken – we hadden via de babyfoon niets verontrustends gehoord – was ze al zeker een uur, misschien twee uur dood. Een kind op deze manier verliezen is zo anders. Er is een kans van één op één miljard dat een kind zo aan haar eind komt. We bleven achter met zoveel vragen. Waarom is ze niet gaan roepen? Waarom is ze niet met haar hand knel komen te zitten in plaats van met haar hoofd? Waarom stond die badstandaard geen centimeter verderop?

Bij een ziekte, zoals Noah die bleek te hebben, kun je nog denken: 'Niemand geeft je de garantie dat je een gezond kind krijgt'. Je weet, in theorie, dat dit kan gebeuren. Ik ben niet zo van 'Waarom ik?' of 'Waarom in ons gezin?'. Ik denk eerder: 'Waarom zou het bij de buren gebeuren en niet bij ons?'. Het was een foutje van Moeder Natuur. Hij kon zijn ziekte niet overleven. Hij had geen schijn van kans. Ik kon daar relatief snel in berusten. Maar de dood van Iris? Hierin kan ik niet berusten. Het slaat werkelijk helemaal nergens op. Als straks mijn eind is gekomen en ik ben daar boven ergens, dan heb ik nog een hartig woordje met iemand te spreken.'

Wat hielp om verder te leven?

'Ik zie ons nog zo op de bank zitten, na het overlijden van Noah. 'Dit overleven we niet nog een keer', zeiden we. En dan gebeurt het toch nóg eens. En ja, wij zijn er nog. Niet altijd van harte, maar we zijn er nog. Via het werk van Patrick kregen we na de dood van Noah contact met een bedrijfsmaatschappelijk werker. Hij hield ons voor: 'Ooit komt er een dag dat dit alles je leven niet meer geheel ontregelt.' Dat heb ik altijd onthouden. Het klopte na het eerste overlijden: die dag kwam. Maar het gold ook voor de tweede keer. Ik maak over de ervaringen vaak de vergelijking met amputaties: eerst werd mijn arm geamputeerd, daarna mijn been. In de kern komt het erop neer dat daarmee te leven valt. En dat het leven zelfs weer leuk kan zijn, ook al gaat dat niet vanzelf. Je moet ergens de motivatie vandaan zien te halen.

Twee dagen na de uitvaart van Iris dacht ik: 'Ik stap eruit. Ik kan hier niet mee leven.' Maar ik dacht vervolgens aan Jessy, ons oudste zoontje. Hij was drie toen Noah overleed, en vijf toen Iris stierf. Hij had in zijn jonge leventje dus al twee keer een overlijden meegemaakt. Moest hij dan ook nog een derde meemaken? Dat kon ik toch niet maken? Ik stelde mezelf voor de keuze: als alles zou moeten ophouden, en ik zou Noah en Iris achterna willen gaan, dan zou het ook goed moeten gebeuren. 'Goed' in de zin van: de poging moest dan wel slagen. De tweede optie was: proberen er te zijn voor Jessy en Luna, en hun een zo mooi mogelijke kindertijd geven. Ik vond dat ik het dan wel goed moest doen. 'Goed' in de zin van: er echt voor gaan. Kinderen voelen haarfijn aan als je hierin gaat faken, en dat wilde ik hen niet aandoen.

Toen Noah was overleden heb ik ook momenten gehad dat ik overwoog uit het leven te stappen. Wat me toen onder andere overeind heeft gehouden is de gedachte dat het een belediging voor Noah zou zijn als ik het hoofd zou laten hangen. Hijzelf, én zijn korte leventje dat hij had kunnen leiden, was te waardevol geweest om te laten overschaduwen door moedeloosheid.

Het belang van 'Er voor gáán' kun je constateren en je kunt het je voornemen, maar je moet het ook nog dóen. Wij zijn heel basaal begonnen. Ik realiseerde me dat kinderen in eerste instantie vooral baat hebben bij een structuur, bij regelmaat. Het eerste voornemen was: we gaan weer drie keer per dag hier aan tafel eten, net zoals in ieder ander gezin. Daarop heb ik me de eerste dagen gericht. Dus er moesten boodschappen gedaan worden, er moest gekookt worden. Ik bouwde één uitvlucht in: als ik het leven op mijn 65e nog te zwaar vind, mag ik er alsnog uitstappen. Ik hoefde dan nog 'maar' zo'n kleine dertig jaar. Zo was het begrensd. Dat had ik nodig. De zekerheid dat het hoe dan ook een keer zou eindigen.

Bij 'er echt voor gáán' hoorde dat ik goed voor mezelf zou zorgen. Want als het met mij goed zou gaan, zou ik het misschien aankunnen. Het betekende dat ik mezelf de ruimte moest geven om veel te sporten. Dat had ik altijd gedaan. Toen ik 35 weken zwanger was van Noah was ik nog aan het sporten. Bij de tweeling kon ik doorgaan tot week 29. Na de dood van Iris werd sport mijn slaapmiddel, antidepressivum en kalmeringsmiddel. En ook, niet minder belangrijk, mijn uitlaatklep. Ik sportte acht, negen uur in de week. Ik werd er moe van, zodat ik 's nachts kon slapen, en niet de hele tijd lag te piekeren. Ik kon me er 'leeg' door gaan voelen. Als ik ging sporten zei ik dat ik mezelf ging 'uitwringen'. Even niet meer bezig zijn met Iris. Dat was erg belangrijk.'

Welke rol heeft de omgeving hierin gespeeld?

'We hebben ons gesteund gevoeld door veel mensen uit onze omgeving. Het meeste hadden we aan mensen die er gewoon voor ons waren, zonder ons in een slachtofferrol te duwen. Of zonder dat je het idee kreeg dat ze ons uit sensatiezucht opzochten. Toen Iris overleed zaten we middenin een verbouwing. Een collega van Patrick vroeg: 'Helpt het jullie als wij die verbouwing afronden?' Jazeker! In een mum van tijd was er een actie op touw gezet. Zo'n honderd agenten en andere collega's reageerden op een oproep om te komen helpen. De beste klussers werden geselecteerd, zo'n tien man. De rest was bereid hun diensten over te nemen. Wij werden een weekje naar Italië gestuurd.

Daar wonen de beste vrienden van ons.

Die week is voor de collega's fantastisch geweest. Vanuit allerlei kanten kregen zij steun. De Turkse bakker op de hoek kwam iedere dag brood brengen. Van een bouwbedrijf, waar ze materialen haalden, kregen ze een gratis tuinset mee. Er moet een speciale sfeer in en om het huis hebben gehangen. Mensen spraken ons daar later op aan: 'Je voelde gewoon dat daar iets bijzonders gaande was.' Die ervaring hadden wij ook toen we terugkwamen uit Italië. Het was werkelijk te voelen dat ze niet alleen met hun handen, maar – misschien wel vooral - vanuit hun hart het werk hadden gedaan. Dat ze zoveel voor ons overhadden… Achteraf kunnen we zeggen dat de betrokkenheid en liefde die uit dit gebaar bleek, de weegschaal in beweging heeft gezet. Het heeft veel voor ons betekend. Het maakte het mogelijk vérder te gaan.

Zo zijn er wel meer voorbeelden te noemen waardoor we kunnen zeggen: 'Wat hebben we een geluk gehad.' Al die vrienden, familieleden, collega's en andere bekenden die iets voor ons konden betekenen. Maar er waren ook tal van wildvreemden die ons een hart onder de riem staken. Het is voor een groot deel aan deze golf van betrokkenheid te danken geweest dat we niet verbitterd zijn geraakt.

Onze ervaring is dat je het geluk soms een beetje kunt afdwingen. Het heeft te maken met de houding die je richting de buitenwereld aanneemt. We hebben altijd uitgestraald dat we vooruit wilden. Dat we dóór wilden gaan. Voor het leven, voor de toekomst. Samen. Mensen hebben aangegeven dat ze dat zo waardeerden. Het dwong respect af. En dan zijn mensen bereid je te helpen. Zonder betutteling.

We hebben gemerkt dat we mensen om ons heen met ons mee kregen omdat we open waren. En omdat we ook aandacht voor de ander bleven houden. Door open te blijven hou je contact. Weten ze hoe het ervoor staat. Als je niets zegt, tja, wat kun je dan verwachten? Mensen kunnen niet in je hoofd kijken. Door mensen dichtbij je te laten, kunnen er veel mooie dingen gebeuren. Natuurlijk zijn er periodes geweest dat we diep in de put zaten, maar we zijn nooit in een slachtofferrol blijven hangen en hebben altijd, hoe diep de put ook was, weer geprobeerd de draad op te pakken. Soms lukt dat bij de eerste poging, soms niet. Maar we bleven proberen. En uiteindelijk lukt het dan wel.

Los van dit alles hebben we uiteraard ook veel domme dingen vanuit de omgeving te horen gekregen. Er waren mensen die een dag na de uitvaart van Iris tegen ons zeiden: 'Gelukkig heb je nog twee gezonde kinderen'. Of mensen die naar aanleiding van het overlijden van Noah zeiden: 'Fijn dat het afgelopen is, hij was immers zo ziek'. Je wéét dat er goede bedoelingen achter dergelijke opmerkingen zitten, maar ik heb vaak het puntje van mijn tong afgebeten. Als me iets duidelijk is geworden wat dit betreft, is dat de pogingen van andere mensen om onze ervaringen te relativeren geen troostend effect hebben. Het verdriet wordt er echt niet kleiner van, integendeel zelfs.

Het toppunt kwam uit de mond van een verloskundige die bij ons thuis kwam toen ik net de tweeling had gekregen. Ze zag de vitrinekast in de huiskamer staan waarin we allerlei spulletjes hadden liggen van Noah en zei direct: 'Daar moet je eens een keer mee ophouden hoor.' Ik ben daar zó kwaad over geweest. Alsof Noah geen rol in ons leven mag houden. Ook een arts van het consultatiebureau had een opmerking die ik nooit zal vergeten: 'Het verlies van een kind is pas echt erg als het je enige kind is.' Zij bedoelde het echt niet rottig, schat ik in, maar tjonge zeg, leg je domheid er alsjeblieft niet zo dik bovenop.

Overigens: het lijkt misschien nu alsof we veel negatieve ervaringen met professionals in de zorg hebben, maar dat is allerminst het geval. Noah heeft, door zijn ziek- en sterfbed, met tal van verpleegkundigen, artsen en fysiotherapeuten te maken gehad. We hebben niets dan lof voor de manier waarop zij met hem en met ons zijn omgegaan. Ze hebben ons ondersteund in onze wens om Noah thuis te laten sterven. Zo konden we dag en nacht bij hem zijn. We hebben alle medewerking gekregen om ervoor te zorgen dat het met Noah kon gaan zoals wij wilden. Dat scheelt een heleboel, denk ik. Ons manneke heeft echt de beste zorg gehad die hij maar kon krijgen en voor ons is die wetenschap een bron van kracht geweest.'

Hoe gaat het nu?

'Over het algemeen gaat het best goed. Er zijn natuurlijk nog steeds slechte dagen. Dagen waarop ik weinig energie heb, waarop alle dingen véél meer energie lijken te kosten dan voorheen. Simpele dingen als een telefoontje plegen. Een stukje fietsen. Of even bij iemand op visite gaan. Die kunnen me dan helemaal leegzuigen. Eerder vroeg ik me in die situaties af: 'Hoe kom ik mijn dag door?' Nu denk ik: 'Het gaat wel weer over, misschien heb ik morgen alweer méér energie.' Hoe wrang het ook is: dat is dan toch de ervaring die spreekt. En daar valt wel weer wat positiefs uit te halen. Want het zijn dit soort dingen waardoor je merkt dat je van 'overleven' weer naar 'leven' gaat.

Ik heb gemerkt dat ik nu ook minder bang voor veranderingen ben. We hebben nu twee keer een enorme verandering in ons leven meegemaakt, en we zijn er nog steeds. Natuurlijk zijn er die slechte dagen waarover ik sprak, maar kijk je wat breder, dan zie ik bijvoorbeeld dat de kinderen het goed doen. Daar kan ik me dan weer aan optillen. We kunnen weer boos zijn over kleine dingen. We kunnen klagen over de hoge benzineprijzen of over het weer. Dan merk je: het leven wordt weer wat normaler.

Ik maak me ook niet meer zo snel druk. Ik ben door alle ervaringen veel gemakkelijker geworden. Ik heb vaker een houding van: 'Ik kijk wel.' Of: 'Ik probeer wel.' In de sportschool waar ik al een tijdje sportte, was mij de mogelijkheid geboden instructeur te worden. Als je mij een jaar geleden gezegd zou hebben dat ik nu voor een groep mensen trainingen zou gaan geven zou ik je voor gek hebben verklaard. Maar ik doe het. Toen ik de vraag kreeg heb ik me afgevraagd wat het ergste zou zijn wat er zou kunnen gebeuren. 'Dan ga je af', was het antwoord. *'So what'*, dacht ik toen. Dus ik ben het gaan doen. En het gaat prima.'

Zegt de oorzaak van een overlijden iets over de mate van verlies? Is daar een hiërarchie in aan te geven?

'Ik heb de afgelopen jaren diverse fora op internet bezocht. Of je nou over het verdriet van ouders op Lieve Engeltjes leest, over hun baby die tijdens de zwangerschap is overleden, of over het verdriet van ouders over hun volwassen zoon op de site van VOOK (Vereniging Ouders van een Overleden Kind): de verhalen komen overeen. De overeenkomst is het intens beleefde gemis van een kind. Dat kom je bij beide groepen tegen. Er zijn in mijn ogen dus meer overeenkomsten dan verschillen.

Toch bestaat er in de maatschappij wel een soort code over de hiërarchie van het leed. Een baby levert volgens die code minder verdriet op dan een ouder kind. Een plotselinge dood is erger dan een dood als gevolg van ziekte, want die kun je zien aankomen. De code is gebaseerd op allerlei vooronderstellingen, en die zijn, voor zover ik dat kan overzien, allemaal gebaseerd op onzin. Dat bedoel ik niet verwijtend hoor. Als je het niet hebt meegemaakt is het verlies van een kind niet te begrijpen. De diepte ervan, of de totaliteit, kan niemand zich voorstellen. Dat gold ooit ook voor ons. Wij hadden in onze kennissenkring een stel dat hun enige kind had verloren aan een motorongeluk. De vader en moeder bleven er verdriet over houden. 'Dat moet toch een keer ophouden', dachten wij toen. En nu zeggen we: 'Hoe hebben we dat kunnen zeggen'. Want het houdt niet op. De intensiteit wordt wel minder, maar het gemis slijt nooit.'

Wat heeft jullie geholpen om bij elkaar te blijven?

'Hoewel we elkaar al kennen sinds we 15, 16 jaar waren, zijn we elkaar de afgelopen jaren nog beter leren kennen. Eerder zagen we misschien vooral wat de verschillen tussen ons waren. Nu hebben we ervaren dat we in de basis, op een dieper niveau, fundamenteel hetzelfde zijn. We delen eenzelfde levenskracht. We willen beiden dóór. Als de nood aan de man is, zijn we een erg hecht team. Dat team konden we blijven door elkaar de ruimte te geven. Dat is erg belangrijk geweest. Als ik me wilde afreageren in het sporten, liet hij me de ruimte. Als hij het nodig had om de hele dag op de bank te hangen... Prima. Een al even belangrijke 'afspraak' die we maakten was dat er over en weer geen veto's werden uitgesproken. De een kan niet voor de ander besluiten dat bijvoorbeeld een verjaardag niet gevierd wordt. Als de behoeften verschilden, zochten we naar een compromis. Daarmee lieten we elkaar in onze waarde.

Door de jaren heen zijn er voortdurend dagen of periodes geweest die écht moeilijk waren. Maar wonderlijk genoeg hadden we die nooit tegelijk. Degene die er het minst doorheen was, kon de ander altijd de aandacht geven die nodig was om de dag door te komen. Zo tilden we elkaar regelmatig op.'

Kun je iets met termen als 'het verlies verwerken' of 'het verlies een plaats geven'?

'In de literatuur gaat het voortdurend daarover. Mensen om je heen zeggen het ook. En als je het verdriet of de pijn niet moet verwerken of een plaats moet geven, dan moet je het wel loslaten. Ik kon en kan daar helemaal niets mee. Het gaat om veel meer dan verwerken, een plaats geven of loslaten. Ik vergelijk, zoals gezegd, mijn ervaringen met amputaties. Eerst ging de arm eraf, toen een been. Ik leer wel weer lopen, desnoods met een prothese, maar dat been en die arm zal ik altijd missen. Ik blijf voortdurend het besef houden dat er iets niet klopt. En ik verwacht niet dat dat geheel verdwijnt, hoe lang het ook geleden is.

Ik denk dat iedereen heel erg hóópt dat het bij ouders als ons zo werkt. Dat er een moment komt dat het verlies - letterlijk - verwerkt of verkleind is. Omdat het zou betekenen dat de opeenstapeling van het verdriet en de pijn ooit eens helemaal over gaat. Dat het echt 'opgelost' is. Verdwenen. Zo'n wens past heel erg bij onze cultuur, waarin nauwelijks plaats is voor blijvend lijden. We duwen het idee dat er blijvend lijden kan zijn het liefst weg. Ooit is het toch klaar? Voor alle problemen bestaat toch een oplossing? Alles is toch maakbaar? Er bestaat het idee dat dat ook voor zaken rondom dood en rouw geldt. Mooi niet dus. Ik denk dat er altijd dagen of nachten zullen blijven komen waarin je extra gespannen bent, waarop je moet huilen, waarin je niet kunt slapen, omdat je pijn hebt vanwege het verlies van een kind. De buitenwereld ziet dat liever niet, want men voelt zich daar ongemakkelijk bij. De buitenwereld hoopt dat de gebeurtenissen ooit voltooid verleden tijd voor ons zullen zijn. Maar ik kan me niet voorstellen dat dat ooit zo zal zijn.

Wat me opvalt, als er in termen van oplossingen gesproken wordt – oplossingen om het lijden, het verdriet en de pijn, te verzachten – denkt men ook vooral aan externe oplossingen. Natuurlijk kun je medicijnen gaan slikken om de pijn te verzachten. Door slaapmiddelen te gebruiken kun je misschien weer gewoon slapen. Maar uiteindelijk lost het niets op. Je verplaatst je probleem hooguit. Je moet er zelf doorheen, het is niet anders. De werkelijke verzachting kan alleen van binnenuit komen.'

Drie jaar later

'Een klein jaar nadat Iris was overleden, was ook één van de twee beste vrienden van Patrick gestorven. Het was misschien de spreekwoordelijke druppel die de emmer deed overlopen; hoeveel ellende kan een mens in korte tijd aan? Hij was er kapot van, en kwam tot niets meer. De meeste energie ging naar zijn werk, waar hij het niet naar zijn zin had omdat er sprake was van een forse reorganisatie. Moraal van het verhaal was dat ik de kinderen 'deed', náást mijn werk in de sport-school, dat zich alsmaar uitbreidde. Achteraf kunnen we constateren dat we toen min of meer in een val liepen. We leefden voor de kinderen en het werk, en tussen ons was er nauwelijks contact. We waren elkaar kwijtgeraakt.

Ik vond het moeilijk om te zien hoe apathisch Patrick was geworden. Ik wist niet wat ik ermee moest. Ik kon hem niet bereiken. Ik was bang dat hij door mijn vingers zou glippen. Er móest iets gebeuren. Zouden we misschien even apart van elkaar moeten gaan wonen? Door die vraag op te werpen, ging bij Patrick een knop om. We hadden zo geknokt met elkaar om na het overlijden van Noah en Iris dóór te kunnen leven, we hadden zo ontzettend ons best gedaan om Jessy en Luna een - voor zover mogelijk - fijne kindertijd te geven, die strijd mocht niet nutteloos zijn. Patrick is gaan praten met een psycholoog. Het is hem gelukt om uit het dal te komen. Dat lag aan die gesprekken, maar ook aan het werk: hij kwam op een fijne post terecht, waardoor het werk hem energie gáf in plaats van ontnam. Dat maakte het mogelijk gemotiveerd te raken om ons in te zetten voor de kwaliteit van onze relatie. We zagen in hoezeer we die de voorbije jaren hadden verwaarloosd, of - door de omstandigheden - hadden moeten verwaarlozen. We waren alleen nog samen in de verzorging van de kinderen. We zijn bewust bezig gegaan met 'elkaar aandacht geven'. We moesten in feite weer opnieuw leren met elkaar te praten, en naar elkaar te luisteren. Zo zijn we ook weer voor het eerst sinds lange tijd samen uit eten gegaan, zónder de kinderen. Dat alles heeft onze relatie gered.

Aan het eind van het verhaal van drie jaar geleden, vertel ik dat ik het gevoel heb dat er iets in het leven niet klopt. Dat gevoel heb ik nog steeds. Ik kan nooit zeggen: 'Iris, je moet je tanden poetsen'. Of: 'Noah, ruim je speelgoed even op'. Al die normale dingen die je tegen kinderen zegt. Toch merk ik wel dat er dingen veranderen, naarmate de tijd verder gaat. Rondom Sinterklaas bijvoorbeeld, zorgden wij er de eerste jaren altijd voor dat er óók cadeautjes voor Iris en Noah waren. Op pakjesavond lieten wij Jessy en Luna hun pakjes uitpakken. Daar zijn we mee opgehouden. Waarschijnlijk werkt het zo dat we in de begintijd behoefte hadden hun afwezigheid, en het verdriet dat we daarover hadden, in dergelijke concrete cadeautjes tastbaar te maken. Naarmate de tijd vordert verinnerlijkt het verdriet zich. De uiterlijke vertaling is dan minder nodig.

Of dat ook betekent dat we de vitrinekast met spulletjes van Iris en Noah ooit uit de huiskamer wegdoen, weet ik niet. Ik vind het fijn om ze op deze manier zo dichtbij me te hebben. Op deze manier zijn ze, net als Jessy en Luna, het middelpunt van ons gezin. Ze hebben ook recht op die plaats, vind ik. Aan de andere kant: ik sluit niet uit dat dat in de toekomst verandert.'

Benthe

Halverwege de zwangerschap, bleek Benthe, de
dochter van Matthijs en Astrid, een dusdanig gebrek
te hebben dat voor het afbreken van de zwangerschap
werd gekozen. Ze leefde tien minuten. Ze is geboren
en gestorven op 21 januari 2005.

Voor Matthijs was 2005 een bizar jaar. Samen met zijn
vrouw Astrid moest hij in januari zijn dochter Benthe
begraven. In december van datzelfde jaar werd zijn
zoontje Leander geboren. 'Het jaar 2005 is één lange
achtbaan geweest vol tegenstrijdige emoties.'

*Het gesprek voor dit hoofdstuk werd drie jaar na het
overlijden van Benthe gevoerd. Matthijs woont met zijn
vrouw Astrid en de kinderen Quirijn (2003) en Leander
(2005) in Tricht.*

Op de foto:
Het glazen kunstwerk dat voor Benthe is gemaakt.

Matthijs:

Ik moet het niet wegstoppen

—

Hoe werd ontdekt dat er een probleem was met Benthe?

'Omdat ik een nierafwijking heb, was er extra onderzoek ingelast tijdens de zwangerschap. Die nierafwijking bleek ze niet te hebben, maar de echoscopiste meende wel iets anders te zien dat niet klopte. De verbinding tussen hart en longen leek te ontbreken. Zolang ze in de buik zat was dat geen probleem, maar zodra ze geboren zou zijn, was er een grote kans op sterven. Er werden wat artsen bijgehaald. Urenlange echo's leverden de slotsom op dat die verbinding inderdaad ontbrak. Hoe langer het kijken duurde, hoe stiller het werd. In het nazorgkamertje van de afdeling kregen we te horen wat er precies aan de hand was. En wat de sombere vooruitzichten waren. De behandelend arts noemde ook de theoretische kans dat een operatie het defect zou kunnen repareren. We moesten er maar over nadenken: wilden we dat?

We stonden helemaal perplex. Iets wat een soort routine-onderzoekje had moeten worden, met wellicht de kans dat er een nierafwijking zou worden gevonden, eindigde in een drama. Onze zoon Quirijn van anderhalf jaar moest die dag van het kinderdagverblijf worden gehaald. Dat hebben we 'gewoon' gedaan. Achteraf verbazingwekkend eigenlijk, dat je tot dat soort dingen in staat bent. Dat zal wel een soort zelfbescherming zijn geweest, waar je geest als vanzelf voor kiest.

De volgende dag zijn we afspraken voor een *second opinion* gaan maken. We wilden zoveel mogelijk duidelijkheid. Dat vervolgonderzoek kon gelukkig snel uitgevoerd worden. Er waren drie cardiologen bij, want de afwijking was redelijk zeldzaam, en dat maakte Benthe interessant voor hen. Wat zou er nodig zijn om Benthe te laten overleven, vroegen we. De meest optimistische arts die we spraken stelde vast dat er in het eerste jaar drie operaties nodig zouden zijn. En vervolgens, zolang Benthe zou groeien, regelmatig een open hartoperatie omdat de verbinding tussen hart en longen telkens aangepast zou moeten worden. We vroegen de drie cardiologen wat zij zouden doen als het niet Benthe maar hún dochter betrof: de zwangerschap laten afbreken, of opereren? Dat wilden ze niet zeggen, omdat zij ons niet wilden beïnvloeden. Maar één van hen gaf aan dat ze hoopte dat ze sterk genoeg zou zijn om de beslissing te nemen haar de operaties te besparen.

Er werd van ons op korte termijn een beslissing verwacht. Het liefst zou je willen dat die beslissing voor je werd genomen. Op zo'n moment was ik nauwelijks tot denken in staat. Er moest in feite een rationele beslissing worden genomen, terwijl je helemaal vol gevoel zit. Idealiter gesproken spoort zo'n beslissing met je gevoel. Maar dat ging dus niet. Het zit zó in je gevoel ingebakken dat een kind blijft leven. Mijn zus, zelf arts, zei: 'Maak een plus/min-lijstje, misschien maakt dat de beslissing makkelijker.' Het was prima om even helder op een rij te krijgen wat voor de ene of de andere keuze zou pleiten, maar uiteindelijk is de beslissing geen optelsom van rationele argumenten. En bovendien: niet ieder rationeel argument woog even zwaar.

Mijn vrouw Astrid en ik hadden op de ochtend voor de *second opinion* voor het eerst tegenover elkaar uitgesproken dat 'doorgaan' niet goed voelde. De mening van de cardiologen sloot daarbij aan. Hoewel het nu alweer drie jaar geleden is, zijn er nog steeds dagen waarop ik me afvraag waarom we er niet voor gevochten hebben. Maar dan denk ik weer aan de hoeveelheid medische ingrepen die haar te wachten zou staan, en de kleine kans dat ze die allemaal overleefd zou hebben.

Benthe heeft tien minuten geleefd. Ik was voordien heel bang voor de ervaring. Ik had de nodige horrorbeelden in mijn hoofd, over hoe het zou gaan en hoe ze eruit zou zien. Gelukkig verliep het heel natuurlijk. Ik was blij dat ze er even was en voelde me trots op mijn dochter, ook al wist ik dat ze ook weer snel zou sterven. In die minuten had ik niet het hoopvolle gevoel 'Je moet blijven leven'. Achteraf bekeken vond ik dat wat vreemd. Maar misschien had ik me er al bij neergelegd dat het leven van Benthe zo kort zou duren.'

Hielden jullie dit alles voor jullie zelf, of spraken jullie er met vrienden en kennissen over?

'We hebben er vanaf het begin met goede vrienden en familie over gepraat, maar de afweging over wel of niet afbreken maakten we grotendeels zelf. We spraken hooguit met enkelen over de vraag wat een goede keuze zou zijn. Nadat Benthe is overleden, is de kring van mensen met wie we het deelden groter geworden. Het duurde even voordat ik dat kon. Toen we net wisten dat het fout zou lopen met Benthe, wilde ik het bij me houden. Ik heb in eerste instantie nog gedacht: 'Moet je van het afbreken van een zwangerschap nou wel of niet een punt maken?' Vroeger werd er immers ook geen item van gemaakt. Het gebeurde gewoon. Het doodgeboren kind werd van de vrouw weggenomen en dat was het. Men ging over tot de orde van de dag. De maatschappij is daarin sterk veranderd. Wilde ik daaraan meedoen? Moesten we het wel zo opblazen?

De eerste gedachten veranderden nadat we contact hadden gehad met Cornelieke en Ellen van De Wending. We kregen bijvoorbeeld de vraag waar we het kind wilden opbaren. Wilden we dat thuis doen?

Ik voelde weerstand opkomen. Brr, thuis... Maar als ik dat niet wilde, waar dan wel? In een rouwcentrum? Dat vond ik helemaal niets. Het is dus thuis geworden en daar ben ik erg blij mee. We hebben haar nog in bad gedaan, we hebben haar in onze armen gehad, we hebben haar bewonderd. Ook hebben we een gipsafdruk van haar voetjes gemaakt. Achteraf is dat allemaal heel goed geweest, dat we dat zo hebben gedaan. Het afscheid nemen had eigenlijk niet beter gekund.'

Kort na het overlijden van Benthe werd jullie zoontje Leander geboren.

'Dat ging heel snel. Te snel, achteraf bekeken. In het ziekenhuis hadden we het tijdens een nagesprek gehad over de vraag hoe snel er weer een volgend kind zou kunnen komen. Fysiek gezien was er geen enkele belemmering, werd ons gezegd. Maar, zeiden ze, het was verstandig een tijdje te wachten.

Benthe is op 21 januari geboren en overleden. Ze zou anders in mei zijn geboren. Maar al voor de uitgerekende datum van Benthe bleek Astrid zwanger te zijn van Leander. Hij is in december geboren. Waarschijnlijk is hij het resultaat van de eerste vrijpartij na de bevalling van Benthe. Ter achtergrond: de geboorte van onze eerste zoon Quirijn heeft lang op zich laten wachten. Hij is niet helemaal vanzelf gekomen. Bij onze gedachten over een volgende zwangerschap, gingen we er vanuit dat het dus wel lang zou kunnen duren. De natuur besloot anders.

We hebben last gehad van die 'timing'. Het paste allemaal niet bij elkaar. Ik had verdriet om het verlies van Benthe, maar daarmee wilde ik Leander niet opzadelen. Hij had 'recht', vond ik, op de gewone blijdschap die bij een baby hoort. Achteraf denken we: in het ziekenhuis hadden ze ons misschien moeten zeggen waarom het verstandig was even te wachten tot na de uitgerekende datum. Dat is toen niet ingevuld. Als we hadden geweten dat we dan zo heen en weer geschud zouden worden in het gevoel, als we ons er een voorstelling van zouden hebben gemaakt, hadden we de komst van een volgend kind misschien proberen uit te stellen. 2005 is natuurlijk een erg raar jaar geweest. Het is één lange achtbaan geweest vol tegenstrijdige emoties. Het rare valt voor mij het meest duidelijk samen in het beeld van een zichtbaar zwangere Astrid, die op de uitgerekende dag van Benthe aan haar graf staat.

Mensen hebben ons natuurlijk gevraagd in hoeverre Leander een soort vervanging van Benthe was. Het klinkt misschien vreemd, maar die vraag heeft toen helemaal niet gespeeld. We gingen er simpelweg niet vanuit dat Astrid snel zwanger zou worden. Nu we drie jaar later zijn, ligt het anders. Speelt bij mijn wens om - naast Quirijn en Leander - een derde kind te willen het verlies van Benthe wel of geen rol? Dat vraag ik me af.'

Hoe is het eerste jaar na het overlijden van Benthe verlopen?

'Het gemoed tuimelde in het eerste jaar op en neer. Van heel erg blij over hoe het afgelopen is, tot diep verdrietig over wat er per saldo allemaal gebeurd was. Astrid en ik wisselden elkaar af in sterke en zwakke momenten. Of misschien was het meer: de minst zwakke steunde de ander, dat kan ook. We hebben direct na de begrafenis aan het graf van Benthe uitgesproken dat we dit samen aan konden. Dat we dit konden overleven. We wisten hoezeer partners van elkaar kunnen verschillen in hun reacties. In het omgaan met zo'n verlies. En dat dat een wig kan drijven tussen twee mensen. Dat is bij ons gelukkig niet gebeurd. Het belangrijkste daarbij is geweest dat we elkaar de ruimte gaven, en elkaar niet veroordeelden over hoe de ander deed. Dat is direct vanaf het begin de insteek geweest. Het is ons gelukt dat vol te houden. Een verschil tussen ons bijvoorbeeld is dat Astrid er veel mee bezig is rondom bepaalde data, terwijl mijn gedachten meer in een continue stroom bij Benthe zijn.

We hebben gemerkt: wil je iets met vrienden en familie doen met betrekking tot het herdenken van hetgeen gebeurd is, dan moet je dat in het eerste jaar doen. Dan denkt de omgeving nog met je mee. Daarna is dat voorbij. We merkten zelfs dat ze het vreemd vonden dat wij ons na een jaar nog op het overlijden van Benthe richtten. Misschien zagen mensen om ons heen het wat te zwaar of te groots. Voor ons is stilstaan bij Benthe een kwestie van: we willen dat Benthe bespreekbaar blijft; ze is nu eenmaal onderdeel van ons leven.

We zijn kort na het overlijden ook een weekje met zijn drieën naar een huisje van een oom en tante op Vlieland gegaan. 'Ga eens uitwaaieren', zeiden ze ons. Dat was lekker. We hebben foto's bekeken, wat gelezen, over het strand gewandeld... Daar zijn we weer wat tot rust gekomen. En konden we alles wat meer laten bezinken. We konden letterlijk met meer afstand kijken naar wat er gebeurd was. We konden dingen op een rij zetten. Dat heeft ons goed gedaan.'

Wanneer ben je weer gaan werken?

'Ik had op de dag na de echo naar mijn werk gebeld. Het was prima dat ik vrij nam. Na de begrafenis was ik nog niet toe aan werken. Ik heb veel zitten schrijven over de gebeurtenissen in een speciaal schriftje. Aan de andere kant vond ik het niet fijn om helemaal niets te doen. Daar schiet niemand iets mee op, dacht ik. We zaten thuis nog middenin een fikse verbouwing. Ik heb mezelf na vijf dagen verplicht wat kleine klusjes op te pakken. Ik had een programmaatje gemaakt. Als ik me na een week in staat zou voelen aan iets redelijk gecompliceerds als de elektriciteit te beginnen, zou ik weer halve dagen gaan werken. En zo is het ook gegaan. Het ging goed. Dat leverde wel een dubbel gevoel op. Aan de ene kant was ik er blij mee, aan de andere kant voelde ik me er ook schuldig over. Schuldig, omdat ik in staat was niet aan Benthe te denken en me op iets anders te concentreren. Met dat veroordelen van mezelf kon ik gelukkig na een poosje wel ophouden. Je móet immers ook wel door met je leven. Een maand na haar begrafenis ben ik weer hele dagen gaan werken. Achteraf gezien was het een gouden greep om zo'n programmaatje voor mezelf te maken. Het bood houvast. Ik ontleende er steun aan, hoe raar dat misschien ook klinkt.

Toch is het niet altijd goed blijven gaan in het eerste jaar. Kort voor de geboorte van Leander ben ik gecrasht. Het was al een tijd erg druk op het werk, en ik kreeg een soort ontploffing in mijn hoofd. Ik werd ziek. Als ik aan werk dacht, raakte ik in paniek. Ik had mezelf geforceerd, denk ik. Ik probeerde een gewone werkweek te draaien terwijl ik net een kind had verloren en het volgende kind op komst was. Dat was teveel voor me. Ik zag enorm op tegen de bevalling, en was te weinig met Benthe bezig. Ik heb een pas op de plaats gemaakt en ben even een paar weken thuis gebleven. Ik heb tijd genomen om dat wat gebeurd was te verwerken. Dan bedoel ik: ermee bezig zijn, het niet wegstoppen.

Een half jaar na de geboorte van Leander ben ik opnieuw gestruikeld. Ik ben toen weer een week thuis gebleven. Ik weet nu: ik moet niet doen alsof er niets gebeurd is. Ik hou het wel een korte periode vol als ik het wegstop, maar na verloop van tijd struikel ik. Ik moet dus bewust stilstaan bij Benthe. Dat doe ik onder meer door tegen haar te praten als ik naar het graf ga. Tegen een foto van haar zeg ik iedere avond welterusten. In huis brandt er vaak een kaarsje voor Benthe. Ik moet daar allemaal niet overheen stappen. Anders loopt het weer mis.'

Je dochter is overleden in het ziekenhuis. Dan maak je ook veel ellende van anderen mee. Hoe kijk je daarop terug?

'Ik kan me herinneren dat we in het ziekenhuis 'het ellendeboek' aan het doornemen waren. Zo noemden we dat. Het is een boek vol geboortekaartjes van mensen die een baby hebben verloren. Er staan heel veel erge dingen in. We vergaten toen helemaal dat we zelf in een soortgelijke situatie zaten. Het besef dat we daaraan hebben overgehouden, is dat mensen een dergelijk verlies blijkbaar 'gewoon' kunnen overleven. Dat is van groot belang geweest voor ons. Ook was het in zekere zin steunend om te weten dat we niet de enige waren die een kind tijdens de zwangerschap hadden verloren.

Al die verhalen van andere ouders riepen ook verbazing op. Of misschien moet ik bewondering zeggen. We hebben het regelmatig tegen elkaar gezegd: 'Wat een bizarre veerkracht hebben we als mensen eigenlijk. Wat kan een mens toch veel ellende aan.' En wat een sterke overlevingsdrang wordt er door zo'n verlies opgeroepen.

Ik heb door het verlies van Benthe ervaren dat ik

sterker ben dan ik dacht. Die kracht hoefde ik niet op één of andere manier op te roepen. Die kwam vanzelf. Door verder te gaan met de dagelijkse dingen, zoals voor Quirijn zorgen die op gezette tijden moest eten, naar het kinderdagverblijf ging en naar bed moest. En door bewust te kiezen het leven in de hand te nemen, zoals ik met mijn programma voor de verbouwing en mijn plan voor het weer gaan werken.

'Het ellendeboek' heeft ons ook helpen relativeren. De ellende van de ander is altijd erger, zo lijkt het. Wie een kind aan kanker verliest prijst zich gelukkig met het feit dat het kind niet door een verkeersongeluk is overleden. En andersom gaat dat ook op. Zo wordt 'geluk' uit de eigen situatie gehaald, hoe triest en ongelukkig die ook is.'

Drie jaar later

'Sinds het vorige verhaal zijn er twee grote veranderingen te noemen: er is, na Quirijn en Leander, in 2009 een volgend kindje geboren én we zijn verhuisd van Tricht naar Marum. De komst van dit derde kindje, een meisje: Nore, heeft veel betekend voor de beleving van het verlies van Benthe. Dat merkten we niet direct na haar geboorte, maar is in feite pas afgelopen jaar tot ons doorgedrongen. Het verlies van Benthe leek uit twee delen te bestaan: het verlies van Benthe zelf én het verlies van onze wens een dochter te willen hebben. Met de komst van Nore is dat tweede deel van het verlies gecompenseerd. Dat doet niets af aan het gemis van Benthe, maar scheelt voor het geheel wel degelijk.

De verhuizing naar Marum heeft ervoor gezorgd dat we nu ver van het graf van Benthe wonen. Dat voelt vreemd. Soms loop ik door de tuin en denk ik: lag ze maar hier begraven. Natuurlijk kun je een graf verhuizen, maar dat vonden we een te indringende actie. Bovendien voelden we toen ook aan dat Benthe bij ons leven in Tricht hoorde, en dat ze dus ook daar haar plek moest houden. Voor mijn werk kom ik gelukkig regelmatig in de buurt van Tricht. Als het maar even kan, ga ik naar haar graf toe. Bovendien: nadat ze begraven was, hebben we in eerste instantie een monumentje van hout op haar graf neergelegd. Daar staat haar naam en geboorte- en sterfdatum op. We wilden er, als definitief monument, een bolvormig glazen kunstwerk plaatsen. Daarvan werd toen gezegd dat we dat niet moesten doen, omdat de kans aanwezig zou zijn dat dat in een vorstperiode zou kunnen breken. Dat kunstwerkje is dus nooit geplaatst. Het staat nu in de woonkamer. Zo is een belangrijk symbool voor het korte leven van Benthe toch dichtbij.

Nog steeds geldt dat ik de ervaringen rondom Benthe aandacht moet blijven geven. Doe ik dat niet, dan krijg ik daar last van. Dat betekent bijvoorbeeld dat ik het met goede vrienden en familie nog steeds regelmatig over Benthe heb. Ook in gesprekken met nieuwe mensen die ik ontmoet komt Benthe aan de orde. Ik moet het gevoel dat ik over haar heb laten stromen.

Ook al zijn de scherpe kantjes er wel vanaf, het gemis blijft aanwezig.

In het nieuwe huis heeft Benthe een duidelijke plek gekregen. Daar hebben we bewust voor gekozen. We hebben van alle kinderen gipsen voetafdrukjes. Deze vier hangen bij elkaar in de woonkamer. Ook is er een foto van haar, met een kaarsje erbij.

Rondom het herdenken van haar geboorte- en sterfdag, die 21e januari, is geen vast ritueel gegroeid. In het begin vond ik de periode december-januari altijd een nare periode. Ik was blij als het weer februari was. Dat gevoel is weg. De factor tijd heeft daarin een belangrijke rol gespeeld, denk ik. En het feit dat we in een andere omgeving wonen. Daardoor is alles ook in figuurlijke zin wat verderaf komen te staan.'

Linda

Linda, de 9-jarige dochter van Marjan en Bert, overleed op 12 juni 2007 aan de gevolgen van een hersentumor. Toen ze een half jaar eerder de diagnose kreeg, was ook direct duidelijk dat ze ongeneeslijk ziek was.

Marjan gaat het meest gebukt onder het besef dat de factor tijd de verzameling herinneringen aan Linda aantast. 'Daarom praat ik zo graag over haar. Daarom kijk ik ook nog zo vaak naar foto's van haar.'

Het gesprek voor dit hoofdstuk vond bijna vier jaar na het overlijden van Linda plaats. Marjan woont met haar man Bert in Woerden.

Op de foto:
De knuffel van Linda.

Marjan:

Het leven draait nog om haar

—

Hoe heb je de draad weer opgepakt?

'Wij zijn er altijd sterk in geweest om ons leven te leiden door nadrukkelijke keuzes te maken. Toen Linda ziek bleek te zijn en we als prognose meekregen dat ze nog maar 3-12 maanden te leven zou hebben, hebben we afgesproken: 'We gaan iedere dag lachen.' Dat is in het halve jaar dat ze nog leefde aardig gelukt. Ondanks alle ellende hebben we veel moois gedeeld en hebben we erg intensief geleefd. Achteraf lijkt het wel alsof we vijf jaren in dat ene halve jaar hebben gestopt.

Na haar overlijden was ons voornemen: 'Wij gaan niet zielig zijn.' Ook dat lukt aardig. We proberen ons niet te verbergen, en bezoeken bijvoorbeeld nog steeds de verjaardagen van Linda's vriendinnen van toen. Evenmin vermijden we contact met onze petekinderen. Natuurlijk is het hard om met andere kinderen om te gaan, want juist dan mis ik Linda méér. Na die ontmoetingen slaap ik daar soms ook weer een tijdje wat slechter van. Maar als je kinderen uit de weg wilt gaan, kun je in feite nergens meer naar toe. Dus dat gaat niet.

Vanaf het begin ben ik ook zoveel mogelijk de dingen gaan doen die ik óók deed toen Linda nog leefde. Ik ga naar het theater, ik bezoek de bioscoop, ik zit op pianoles... Dat soort dingen deelde ik met Linda. Ik heb in het begin vaak mijn neus gestoten. Ik ben over drempels gestruikeld en ik heb veel gehuild. Dat dat soms met tranen gepaard ging... Ik schaamde me daar niet voor. Verdriet hebben hoorde gewoon bij mij. Maar ik pluk daar nu de vruchten van, want ik kan alles doen wat ik eerder ook deed.

Onderdeel van ons voornemen om 'Niet zielig te willen zijn' was de keuze actief deel te nemen aan het sociale leven, en niet achter de geraniums te gaan zitten. We moesten die stap bewust zetten, vonden we. Naast Linda hadden we immers geen ander kind. Als dat er wel zou zijn geweest, gaat je sociale leven makkelijker door. Het andere kind moet immers verzorgd worden, het moet naar school, enzovoorts.

Behalve dat dan je sociale leven 'als vanzelf' doorgaat, krijg je ook snel weer een bepaalde structuur in je leven. Een dergelijk stramien hebben wij sindsdien nooit meer gevonden. We hebben geen vaste tijden waarop we eten. We hebben geen vaste tijden waarop we boodschappen doen. De enige regelmaat die we naast ons werk hebben, is dat we eens in de twee, tweeëneenhalve maand op vakantie gaan naar ons appartement in Oostenrijk. Dat hebben we echt nodig om weer enigszins tot rust te komen. Ik ervaar het leven als behoorlijk vermoeiend en slopend. Ik denk dat dat ook wat te maken heeft met het gebrek aan structuur. We zijn erg druk met 'bezig zijn'. Na twee maanden heb ik voor mijn gevoel veel bergen verzet en ben ik toe aan rust. Mijn man heeft dat ook. In Oostenrijk kunnen we onszelf weer even opladen. Een vreemd aspect is overigens dat in mijn beleving de tijd heel langzaam gaat. Om me heen hoor ik iedereen zeggen: 'Wat gaat de tijd toch snel.' Dat idee heb ik helemaal niet. Misschien ligt dat aan het gebrek aan structuur in het leven, of aan het feit dat we onszelf altijd bezig willen houden en daarom veel meemaken, dat het lijkt dat de tijd langzaam gaat.'

Heb je de situatie van jullie vergeleken met de situatie van ouders die nog een tweede of derde kind hadden toen zij een kind verloren?

'Het laat zich moeilijk vergelijken. Het verwerken van het verlies is misschien makkelijker omdat je, vanwege het bestaan van het andere kind, wel door móet gaan. Aan de andere kant kan dat het juist ook moeilijker maken, omdat er minder gelegenheid is voor het eigen verdriet. Volgens mij is er op dit gebied geen ordening in het verlies te maken. Er kan niet in het algemeen gezegd worden dat het één erger is dan het ander. Het verwerken van het verlies is ánders, dat wel.

Ik heb me wel afgevraagd wat het verschil zou zijn als je plotseling je kind verliest. Wij zagen het overlijden aankomen, want ze was een half jaar ziek voordat ze overleed. Maar wat als je plots van vandaag op morgen je kind kwijt bent? Je zou maar net die dag ervoor boos zijn geweest op je kind. Dat lijkt me verschrikkelijk.

Wat ook 'gelukkig' is aan onze situatie, is dat we elkaar niets hoeven te verwijten rondom het overlijden van Linda. In het Oostenrijkse dorp waar we een huis hebben, heeft een man met zijn auto zijn 2-jarige kind per ongeluk overreden. Ik heb me afgevraagd of ik dan nog als 'de vrouw van' met hem zou kunnen leven. Ik weet het niet. Het wordt dan wel heel moeilijk.

Een vergelijking die ik ook heb gemaakt betreft de periode voor en na het overlijden van Linda. Ik kan me herinneren dat een buurvrouw tijdens het ziekbed van Linda tegen ons zei: 'Wat zullen jullie het nu zwaar hebben.' Toen dacht ik: 'Nee, wat straks komt, dát is pas zwaar. Want dan is ze er niet meer.' En zo is het inderdaad. Ik vind het leven nu nog steeds zwaarder dan toen. Een ziek kind is altijd beter dan geen kind.'

Vertel je gemakkelijk aan anderen wat je hebt meegemaakt?

'Eigenlijk doe ik niets liever dan over Linda praten. Maar soms benoem ik haar ook juist niet. Af en toe leidt dat tot dilemma's. Zo zat ik altijd bij een koor. Het schoonzusje van de buurvrouw zat ook in dat koor, dus er waren vrij veel mensen die wisten wat ik had meegemaakt. Pasgeleden ben ik overgestapt naar een ander koor. Daar zitten allemaal echt hele leuke mensen bij. Er wordt over en weer aan elkaar gevraagd hoe het gaat; men is erg betrokken bij elkaar. Er wordt dus ook vanzelfsprekend gesproken over de kinderen. In dat koor heb ik ervoor gekozen om niet te zeggen dat ik Linda heb gehad. Ik doe dat bewust omdat ik anders een stempel opkrijg en mensen je zielig vinden. Dat wil ik niet. Maar juist omdat het zo'n betrokken koor is, sluit ik me op deze manier buiten. Dat vind ik een lastige situatie.

Op het werk had ik ook zoiets. Op mijn pc-scherm had ik altijd twee foto's hangen: één van Linda toen ze niet ziek was, en één van toen ze wel ziek was. Op de ene foto is ze, zoals ze was, een tenger meisje, op de andere foto is ze dikker, vanwege de Dexamethason die ze gebruikte. Er kwam eens iemand binnen die mijn voorgeschiedenis niet kende en zij vroeg: 'Zijn dat je twee dochters?' Ik had het toen niet meer. Ik voelde me zo overvallen. Ik voelde me verschrikkelijk.

Kort daarna veranderde ik van afdeling. Op die nieuwe werkplek heb ik de twee foto's niet meer opgehangen. Uit zelfbescherming. Ik heb geen zin in die vraag 'Zijn dat je twee dochters?' Natuurlijk zou ik het liefst de hele dag naar haar foto's willen kijken, maar ik had ook gemerkt dat ze me in situaties konden brengen die ik op mijn werk niet wil. In het werk doet het feit dat ik een kind verloren heb er niet toe. Ik ben in mijn werk hetzelfde, zonder of met die ervaring. Anderen hoeven daar niets van te weten. Ik heb daar nu een bewuste keuze in gemaakt. Al merk ik ook dat de gevolgen daarvan niet altijd even makkelijk zijn. Want nu ik de foto's niet heb opgehangen, kan ik op mijn werk niet even tussendoor naar Linda kijken. Dat is een gemis.

Ik blijf dit een moeilijk iets vinden, hoe je daarmee omgaat. Want als ik bijvoorbeeld op een verjaardag bij de buren ben en we hebben het met z'n allen even over Linda, dan vind ik dat heerlijk. Als dat níet gebeurt, als ik het idee heb dat 'het onderwerp Linda' wordt vermeden, dan zeg ik zelf wel een keer 'Goh, dat had Linda ook.' Even haar naam noemen, en dan is het weer goed. Ik ben er dus wat dubbel in.'

Hebben jullie - naast 'We willen niet zielig zijn' - nog andere statements expliciet uitgesproken?

'Ja. We hebben nadrukkelijk uitgesproken dat we zuinig op elkaar moesten zijn. Toen Linda overleed, waren we al 28 jaar getrouwd. We hadden altijd al een hechte band, maar die is na Linda's overlijden nog hechter geworden. Die nabijheid biedt steun. Als we beiden geen werk zouden hebben, zouden we 24 uur per dag en 7 dagen in de week samen zijn. We ontbijten ook altijd samen, zelfs als de één vroeger moet opstaan dan de ander. Op woensdag moet Bert om half zeven de deur uit. Dan zitten we samen om 6 uur te ontbijten.

Als Bert nu zou wegvallen, ben en kan ik niets meer.

Dat geldt omgekeerd ook voor hem. We moeten dus voorzichtig omgaan met het leven dat ons gegeven is. Het betekent dat we elkaar goed in de gaten houden. Het is erg verleidelijk, zeker in de begintijd, om jezelf over te geven aan drank, werk of een andere verslaving. Als de één over de ander denkt dat er een gevarenzone dreigt, dan spreken we elkaar daarop aan. 'Voorzichtig zijn met het leven' betekende onder andere heel concreet dat we allebei onze motoren hebben weggedaan. De kans dat één van ons daarmee een ongeluk zou krijgen achten wij te groot.'

Zou je jouw leven als 'leven' typeren of is het 'overleven'?

'Overleven. De bewuste keuzes die we maken zorgen er in mijn ogen voor dat we niet verdrinken in verdriet. We maken die keuzes uit pure zelfbescherming. Dat geldt ook voor dat bezig zijn. Stilzitten zorgt er voor dat je gaat denken, en denken is nog steeds niet goed, daar word ik superverdrietig van. Ik ben dan ook heel blij dat we allebei werk hebben. Dat houdt ons op de been, dat geeft afleiding.

Als ik erover nadenk, kan ik niet om de conclusie heen dat onze emoties stuk zijn. We reageren anders op zaken die gebeuren dan 'normale' mensen. Onlangs is er op het werk een collega van 38 jaar plotseling aan een hartaanval overleden. Ik vind dat heel erg, maar mijn eigen verdriet is groter. Ik kan niet zo meeleven als de anderen en was ook 'opgelucht' dat ik niet naar de crematie hoefde te gaan. Onlangs werd een vriendin van ons 40 jaar. Ze gaf een groot feest. Ik weet dan nog steeds niet hoe ik me moet gedragen. Het voelt niet goed om uitbundig feest te vieren.

Wat het meest zwaar weegt, is het besef dat we later geen familie zullen worden. We zijn nu immers geen gezin meer, dus we zullen straks ook geen opa en oma worden. Daardoor doen we niet meer mee in het 'normale, sociale leven'. Wij maken niet mee wat in een normaal leven thuishoort. Kinderen brengen immers ook een sociaal leven naar huis. Ze brengen vriendjes en vriendinnetjes mee, ze houden je jong, doordat ze in deze tijd leven. Nu ontgaat ons dat allemaal. Dat merk ik iedere dag en iedere dag doet dat pijn. Mensen zijn nou eenmaal zo gewend om over hun kinderen of kleinkinderen te praten. Telkens doet dat zeer. Zelfs zoiets simpels als een speelgoedfolder kan al pijn doen.'

Verwerken jullie het overlijden van Linda op dezelfde manier?

'Nee, er zijn wel verschillen. Het grootste verschil heeft te maken met de mate van acceptatie. Ik kan me er wel bij neerleggen dat Linda overleden is. Dat daar niets meer aan te doen valt. En dat we verder moeten gaan. Maar Bert kan dat niet. Dat verschil werkt onder meer door rondom de vraag 'Waarom is dit gebeurd?' Ik kan er vrede mee hebben dat daar geen antwoord op is. Bert niet. Bij hem kan het blijven malen. Voor zijn eigen gemoedsrust zou hij het graag een plek willen geven, maar dat is nog niet gebeurd.

Een ander belangrijk verschil is dat ik het gevoel heb dat Linda na haar dood nog steeds bij ons is. Er gebeuren kleine dingen om me heen, die ik niet kan verklaren. Dan denk ik dat Linda dat doet. Dat geeft een soort van geborgenheid. Ik voel dat ze er nog steeds is en met ons meeleeft. Bert heeft dat helemaal niet. Voor hem is doodgaan definitief. Wat er dan voor hem overblijft, is het gemis.

We kenden elkaar door en door toen Linda ziek werd. We hadden al het nodige samen doorgemaakt; we zijn eens naar Nieuw-Zeeland geëmigreerd, en na korte tijd teruggekomen. We hebben periodes van armoe gekend. We hebben samen een zaak gehad. Het zou heel anders zijn, schat ik in, als een kind overlijdt terwijl je pas een jaar of drie, vier bij elkaar bent. Omdat we elkaar zo goed kenden, konden we elkaar goed steunen. We zijn altijd open geweest over wat ons bezighield, hoe we ons voelden en wat we dachten. Dat past ook in de gedachte dat we zuinig moesten zijn op elkaar. Je kunt er niet voor de ander zijn als je niet weet waar de ander staat.'

In jullie huis hangen veel tekeningen van Linda.

'Het wemelt inderdaad van de 'Linda-dingen'. We hebben boven ook nog een vitrinekast staan, met allerlei dingen van haar. We zouden wel tien van dat

133

soort kasten kunnen vullen. Je omringen met dit alles is een manier om haar zoveel mogelijk vast te houden. Het leven draait nog in grote mate om haar. De grootste tragiek vind ik namelijk dat je dingen van haar vergeet. Elke dag wordt er iets afgeknabbeld van die verzameling herinneringen die je hebt. Dat vind ik heel erg. Toen ze pas was overleden wist ik alles nog. Hoe haar stem klonk, hoe ze rook, hoe ze bewoog, alles... Dat wordt minder. Dat is voor mij verliezen en dat blijf je nog steeds doen, iedere dag. Daarom hou ik me vast aan de dingen die zijn achterbleven. De tekeningen, de frutsels. Daarom praat ik nog zo graag over haar. Als je het allemaal niet voor jezelf herhaalt, ga je het makkelijker vergeten. Daarom kijk ik ook nog zo vaak naar foto's van haar. Als ik verdrietig ben, kan dat me helpen te huilen, dan ben ik het kwijt. Ik kan die huilknop niet zomaar aan zetten. Soms heeft het ook wel iets lekkers, om het verdriet te voelen als ik naar de foto's kijk. Dan voelt ze dichterbij.

In de vitrinekast die boven staat, staat uiteraard ook een foto van Linda. Elke keer als ik er langs loop zeg ik haar gedag, geef haar een denkbeeldige kus of een knipoog. Ook op deze manier leef ik nog steeds met haar. Als ik het even niet meer weet of een keuze moet maken, bespreek ik dat met haar. Als ik iets engs of spannends moet doen, dan stel ik me voor dat Linda bij me is en me helpt met dat enge of spannende. Dat voelt goed. Alleen al het idee dat ze me helpt, geeft me meer zekerheid en zelfbewustheid.'

Zijn jullie bewust naar compensatie gaan zoeken, nadat Linda was overleden?

'We hebben van alles de revue laten passeren. Een tweede kind was niet meer aan de orde. Ik was 47 toen Linda overleed. Bovendien had het vijf jaar geduurd voordat ik zwanger van haar was. We hebben informatie ingewonnen over adoptie. Maar als je boven de 40 bent, blijk je daarvoor niet in aanmerking te komen. We hebben overwogen pleegouder te worden. We zijn daarom naar zo'n voorlichtingsavond over pleegouderschap geweest. Uiteindelijk voelden we aan dat dat niets voor ons kon zijn. We waren en zijn nog erg met onszelf bezig, en met de verwerking van alles wat er gebeurd is. Als je dan een kind binnenhaalt, waarvan je weet dat hij of zij al het nodige aan moeilijkheden in het leven heeft meegemaakt, is het maar de vraag of je dat aan kan. En of dat wel zo goed voor het kind kan zijn.

We zijn veel vrijwilligerswerk gaan doen. Vooral vrijwilligerswerk dat te maken heeft met zieke kinderen. Zo heb ik met mijn 50e verjaardag beren van de Stichting KiKa verkocht (Stichting Kinderen Kankervrij) en help ik bij een paardenkamp voor gehandicapten. Bert gaat ieder jaar mee op skivakantie met een groep lichamelijk gehandicapte kinderen.

We hebben overwogen in Oostenrijk een pension of hotel te starten. Je weet dan dat zoiets je 24 uur per dag en 7 dagen in de week zal bezighouden, maar dat vonden we geen bezwaar. Wat wél bezwaarlijk was, was het gegeven dat je dan moet verhuizen. Als je gaat verhuizen laat je herinneringen achter. Herinneringen aan Linda, die verbonden zijn met dit huis en deze omgeving. Herinneringen die je toch al langzaam maar zeker vergeet, en die je juist het liefst bij je zou houden. Dus nee, verhuizen was geen optie. Je moet helemaal opnieuw beginnen. Dat lijkt me lastig en moeilijk. Bovendien: iedereen in de straat heeft met de ziekte van Linda meegeleefd. Iedereen weet wat er heeft gespeeld en we konden altijd en overal terecht met ons verdriet, als we wilden uithuilen of praten. Dat voelt goed. Dat wil ik niet kwijt.

Bij al dat zoeken naar compensatie weet je ook dat het eigenlijk zinloos is. Je zoekt naar een nieuw doel in het leven, en dat vind je niet. Want dat wat je mist - je kind, Linda - krijg je er niet mee terug, zelfs als je wel dat doel zou vinden. Onze bovenburen in Oostenrijk zeiden ons: 'Je moet het doel niet zoeken, het doel vindt jou.' Misschien is dat wel zo. En komt er als 'vanzelf' iets op ons pad.'

Voel je je nog moeder?

'Dat vind ik een moeilijke vraag. Als ik het over Linda heb, heb ik het zeker over mijn dochter Linda, en dat maakt mij dan moeder. Of ik mezelf dan ook moeder vóel, weet ik eigenlijk niet. Ik ben het wel, maar eigenlijk ook niet meer. En zoals ik al vertelde: je vergeet dingen. Langzaam weet je niet meer hoe het voelt om moeder te zijn, omdat je dat moederschap niet meer actief beleeft. Laatst hoorde ik een kind van Linda's oude school zeggen dat ze van Linda touwtje springen had geleerd. Dat maakte me wel weer trots. Maar is dat typische moederlijke trots? Dat weet ik niet.

Kortgeleden ben ik lid geworden van de evenementencommissie van de personeelsvereniging op het werk. Ik heb aangegeven dat ik het Sint-Nicolaasfeest best wil organiseren, als ik er maar niet bij hoef te zijn. Ik zou niet weten of ik dat aankan. En het lijkt me geen goed vooruitzicht om als organisator in de zaal te gaan huilen op zo'n feest. Ook kies ik er bewust voor om geen leesmoeder te worden op een basisschool. Dat roept misschien iets teveel moedergevoelens op.

Als wij onze verjaardag vieren, ben ik gereserveerd ten opzichte van de kinderen die er dan zijn. Ik houd rekening met ze wat betreft hun natje en droogje, maar ik houd ze toch wel een beetje op afstand. Ik denk dat dit een soort van zelfbescherming is. Als ik me op zulke momenten meer zou geven, kan ik niet voorspellen wat er gebeurt. Maar om terug te komen op je vraag: ik ben wel moeder, maar ik denk ook dat ik dat nu wegstop.'

Wieke, de dochter van Gerdien en Marc, overleed op 26 mei 2006, twee maanden na haar geboorte, aan de gevolgen van een hersentumor.

Toen Gerdien haar dochter verloor, lag ook haar vader op sterven. 'Om afscheid te nemen van mijn vader reden we vanuit ons huis naar Almelo. We kwamen langs het ziekenhuis waarvan we wisten: 'Daar ligt onze dochter te sterven.' Zo bizar kan het leven blijkbaar zijn.'

Het gesprek voor dit hoofdstuk werd twee jaar na het overlijden van Wieke gevoerd. Gerdien en Marc wonen in Houten, en hebben één zoon, Lucas (2003), die 2,5 jaar was toen Wieke overleed.

Op de foto:
De mok die is uitgedeeld tijdens de begrafenis.

Gerdien:

De ervaring heeft mij doen beseffen hoeveel moois er om ons heen bestaat

—

Hoe kwamen jullie erachter dat er iets mis was met Wieke?

'Op het eerste gezicht leek ze een fantastische baby. Ze keek heel wakker rond. Ze had van die donkere ogen, waarmee ze je echt goed aankeek. 'Wat een sterke meid', dacht ik. Maar een paar weken na haar geboorte dronk ze nog steeds erg weinig. Wat we ook probeerden - flesjes, pinkvoeding - ze wilde niet. Ze groeide in de eerste weken wel, maar niet genoeg. Na ongeveer vier weken, bij een bezoek aan het consultatiebureau, bleek ze 150 gram te zijn afgevallen. Ik schrok enorm. De verpleegkundige dacht dat het kwam door de stress rondom mijn vader, die sinds een paar dagen na haar geboorte in het ziekenhuis lag. Hij had slokdarmkanker, en had net te horen gekregen dat er niets meer aan te doen was. Hij vermagerde snel. We wisten allemaal dat zijn laatste weken waren ingegaan. Het zou kunnen dat die stress doorwerkte op de borstvoeding. Dat zou volgens haar een logische verklaring kunnen zijn voor het weinige drinken dat Wieke deed.

Achteraf bleek dat niet de reden te zijn. Ze werd, toen ze ongeveer vijf weken oud was, door een kinderarts onderzocht. Zij vond dat haar fontanel er gespannen uitzag. Dat hadden wij niet gezien, Wieke droeg – ter bescherming tegen de kou, en ook omdat ze zo weinig dronk – altijd een mutsje. De arts wilde een echo laten maken. Dat gebeurde de volgende dag. Het leverde weinig informatie op. Twee dagen later volgde een MRI-scan. En toen zei de arts: 'Uw dochter heeft een hersentumor.'

In de dagen daarna is aanvullend onderzoek gedaan in het Wilhelmina Kinderziekenhuis (WKZ) in Utrecht. Toen bleek het nog erger te zijn dan gedacht. 'Het is niet één tumor. Haar hele hoofd zit vol.' Dit was absoluut het ergste moment van alles. Ik keek naar Marc en ik zag hem inwendig doodgaan. Het was 5 mei, Bevrijdingsdag. Ze was toen zes weken oud.

Mijn vader is twee weken daarna gestorven. Hij heeft goed afscheid kunnen nemen van het leven. Hij was 74. 'Het was mooi geweest', zei hij. We moesten maar niet om hem treuren. Tot in zijn laatste wakkere uur dacht hij aan Wieke. 'Ik ga zo naar de Grote Baas', zei hij. 'Ik zal hem zeggen dat ik het niet eens ben met wat er met Wieke gebeurt, maar ik zal op haar wachten.' Anders dan met Lucas had hij met Wieke direct een bijzondere band. Toen Lucas geboren werd zei hij: 'Het wordt pas leuk als ze twee zijn.' Maar bij Wieke was

140

er meteen een bijzondere klik. Hij vond haar geweldig en wilde haar graag bij zich hebben. Hij kon ook heel teder met haar doen. Het was heel apart. Later dachten we: 'Het is misschien ook niet zo raar dat ze zo'n band hebben. Wieke komt van de andere kant, hij gaat er straks naar toe.'

Is het van Wieke ook 'een goed sterven' geweest, net als bij je vader?

'Nee, integendeel. Dat maakt het terugkijken op de laatste dagen enorm zwaar. Wieke kreeg morfine tegen de pijn. Later werd daar Dormicum, een slaapmiddel, aan toegevoegd, omdat ze pijn bleef houden en niet kon slapen. Op de momenten dat ze toch door de pijnmedicatie heen brak, konden we niets voor haar doen. We zaten machteloos toe te kijken. Dat een kind sterft is al zo erg, maar dat het dan ook nog met zoveel pijn erbij moet sterven… Ik vond het te lang duren.

De avond voordat Wieke stierf, ontmoette ik een man in het ziekenhuis. Hij was daar omdat zijn dochtertje van 2 na een epileptische aanval was opgenomen. Hij vertelde mij een bijzonder verhaal. Drie jaar ervoor had hij een zoontje van 2 verloren na een epileptische aanval. Tien dagen later was zijn vrouw bevallen van een doodgeboren jongetje. Ik vroeg hem hoe hij dat alles had overleefd. Hij zei: 'Dat kun je niet uitleggen. Je moet er doorheen. Je moet het ervaren'. Hij vertelde ook hoe zij hun kinderen hadden begraven. Zijn verhaal zorgde ervoor dat ik me ervan bewust werd hoe waardevol het is om op zo persoonlijk mogelijke wijze afscheid van Wieke te nemen.'

Hoe is dat gegaan?

'Het afscheid nemen is al in het ziekenhuis begonnen. Omdat veel mensen nog niet op kraambezoek waren geweest, heb ik iedereen uitgenodigd om naar Wieke te komen kijken. Ik vond het belangrijk dat zij Wieke nog in leven zouden zien, dat ze konden zien hoe mooi ze was. De laatste dagen zijn Marc en ik steeds bij haar gebleven. Toen is er geen bezoek geweest. Die tijd vond ik te kostbaar. Nadat ze overleden was, zijn we naar huis gereden. Wieke lag in mijn armen. Ze is thuis opgebaard in haar wieg.

Voor de begrafenis hadden we alleen onze naaste familie uitgenodigd: de ouders en broers en zussen van ons. We hebben thuis koffie en thee gedronken en taart gegeten. Het tweede kopje kregen ze in een vrolijk gekleurde mok, die ze als aandenken mochten houden. Die mok was halfvol. Met die mok wilden we zeggen: 'Je kunt denken: die mok is halfleeg, maar je kunt ook denken: hij is halfvol.' Ik heb gezegd dat we liever dat laatste doen. Deze tijd was niet alleen een zwarte tijd, het was ook een intense en bijzondere tijd.

Wieke is begraven op een begraafplaats dichtbij ons huis. Marc gaat er vaak naar toe, en zorgt ervoor dat er een fakkel bij haar graf brandt. Ik kom er niet zo vaak. Als ik er ben denk ik 'Hier ligt ze blijkbaar', maar het voelt heel anders. Zo'n graf helpt me niet om aan haar te denken. Van andere mensen hoor ik dat het hen helpt om kaarsjes in huis te branden. Dat heb ik een tijdje gedaan, maar dat was het ook niet voor mij. Eigenlijk ben ik nog wat op zoek naar een soort ritueel. Want ook al heb ik dat nog niet gevonden, ik denk wel dat dat heel waardevol kan zijn in zo'n periode van rouw. Het enige vaste dat ik nu heb is dat ik op haar verjaardag en sterfdag altijd vrij neem van mijn werk. Het leven gaat zó snel weer 'gewoon' verder, dat het goed is om op bepaalde data de tijd te nemen stil te staan bij wat gebeurd is.'

Hoe ging het in het eerste jaar?

'Ik kan me herinneren dat ik me kort na het overlijden van Wieke afvroeg hoe zoiets te overleven viel. Ik wílde het overleven, dat gevoel was heel sterk. Ik wilde mijn leven niet huilend op de bank doorbrengen. Daarvoor is het leven niet bedoeld, denk ik, daar is het te kostbaar voor.

Ik vond en vind het overlijden van Wieke niet zinloos. Dat besef drong al snel door. Hoewel ze maar kort geleefd heeft, heeft Wieke veel losgemaakt. Bij Marc en mij, maar ook bij andere mensen. Ze heeft duidelijk gemaakt hoe waardevol het leven kan zijn. Je weet niet wat je hebt, totdat je het mist. Er zijn zoveel dingen die we als 'de normaalste zaken van het leven' beschouwen, terwijl het eigenlijk best bijzondere dingen zijn. Ik wil daar niet achteloos aan voorbij gaan. Dat geldt zelfs voor de veronderstelling dat Lucas gewoon blijft leven en dat we hem zullen zien opgroeien tot een grote jongen en een volwassen man. Dat hoop ik natuurlijk met heel mijn hart. Maar ik ben me ervan bewust dat het leven zo kan lopen dat ik óók hem ooit moet begraven. Je bent nou eenmaal nooit gevrijwaard van ellende. Wat dat betreft heeft de ervaring met Wieke ervoor gezorgd dat ik minder onbevangen in het leven sta. Maar dat is niet erg. Of je kind nu dood is of niet, je moet er zelf iets moois van maken.

Ondanks dat ik dit allemaal dacht, heb ik me maandenlang alleen maar de Gerdien met verdriet gevoeld. Ik voelde het in iedere vezel van mijn lijf, het zat in alle spieren. Hoe krijg ik dat eruit, vroeg ik me af. Ik ben nogal van de ratio en het doen-doen. Dus ik ben naar een haptotherapeute gegaan. Die therapeute heeft me geleerd om de pijn en het verdriet te laten stromen. Dat is goed voor me geweest. Er was natuurlijk niet alleen het verdriet over Wieke, maar ook over mijn vader. Ik had al die maanden erg in de 'actie-modus' gezeten. Ik had te weinig aandacht kunnen geven aan het daadwerkelijk ervÁren van wat er allemaal gebeurd was.

Een maatschappelijk werker van het WKZ vroeg me of ik die haptotherapie niet te soft vond. Of ik geen boosheid in me had die ik eruit wilde meppen. Dan zou ik daarnaast iets anders moeten zoeken. Maar ik was niet boos. Ik was verdrietig. Binnen in me zat een wond. Die wond bloedde en deed pijn. Daar moest ik wat mee. De haptotherapie bood me genoeg.

In dat eerste jaar na het overlijden van Wieke, merkte ik dat ik graag weer zwanger wilde worden. Dat lukte me, naar mijn zin, niet snel genoeg. Daar baalde ik behoorlijk van. Tegelijkertijd vond ik het ook wel ingewikkeld: betekende die zwangerschapswens dat ik echt een volgend kind wilde, of wilde ik Wieke terug? De haptotherapeut heeft me goed geholpen bij het ontrafelen van dat dilemma. Ze vroeg me - letterlijk - of er wel ruimte was in mij voor een volgend kind. Ze legde haar handen op mijn buik en zei: 'Hier hebben Lucas en Wieke gewoond. Is er ruimte voor een nieuw kindje?' Ik besefte toen dat ik helemaal geen ander kind wilde, maar dat ik Wieke terug wilde. Waarschijnlijk hield ik daardoor zelf die zwangerschap tegen.

Ik zat in zo'n levensfase waarin allerlei vriendinnen om mij heen kinderen krijgen. Ik zag erg op tegen het eerste kraambezoek, maar ik had me er bewust op voorbereid. Ik was vooral bang dat het kindje op Wieke zou lijken. Dat was gelukkig niet het geval. Ik had van te voren bedacht dat ik vooral moest denken: 'Wat een mooi kindje, wat fijn dat het er is!'. En niet: 'Zij heeft wel een kind, en ik niet.' Het heeft goed uitgepakt om daar van te voren bij stil te staan. Ik kon het gewoon vasthouden en daarvan genieten zonder verdrietig te worden. Wat ook scheelde was dat ik die vriendin van te voren had gezegd hoezeer ik tegen het kraambezoek op keek. Daardoor was het al iets minder spannend geworden.

In de zomer na het overlijden van Wieke zijn we op vakantie gegaan naar Spanje. We hebben rustig met elkaar over Wieke, en over alles wat er gebeurd was, kunnen praten. We zaten in een mooi en luxe huis, met een eigen zwembad. Elke dag zon en zwemmen, dat bood een prima tegenwicht in vergelijking met de voorbije maanden. Het was met name zo goed omdat we bijna geheel geïsoleerd van andere mensen waren. Dat hadden we van te voren niet zo bedacht, maar was achteraf erg fijn. Afgelopen jaar zijn we naar een camping gegaan. Dan zie je heel veel ouders met kinderen. Ik denk dat ik dat een jaar eerder niet had aangekund. Al die confrontaties met ouders en kindergeluk...

Na die vakantie in Spanje kwam ik via via informatie over een rouwgroep tegen. Ik was wat in dubio, of ik daar nou wel of niet iets mee moest doen. Ik belde de organisatie op, sprak een vrouw en ze zei dat de meeste deelnemers doorgaans één of twee jaar na het verlies van een dierbare in zo'n groep terecht kwamen. 'Jeemig', dacht ik. 'Gaat het zolang duren?' Ik wilde verder met leven. Niet dat ik Wieke dacht te kunnen vergeten, maar ik wil zeker geen rouwproces van tien jaar. Ik ben niet naar die rouwgroep gegaan.'

Inmiddels is het twee jaar geleden. Hoe is het nu?

'Soms kan het verdriet me nog steeds aanvliegen. Er zit een gat in mijn hart en dat blijft waarschijnlijk zo, ook als ik 80 ben. Maar er is ook ruimte voor een andere kijk. De ervaring heeft ook meer diepte aan het leven gegeven. Als ik nu naar huis rijd vanaf mijn werk voel ik blijdschap omdat ik Marc en Lucas zo weer zal zien. 'Wauw', denk ik dan, 'hen 'heb' ik dan maar mooi.' We genieten meer van elkaar. De ziekte en het overlijden van Wieke heeft ons doen beseffen hoezeer wij ons gezegend mogen voelen met al die lieve mensen om ons heen. Mensen kwamen voor ons koken, lieten de hond uit, schreven ons kaartjes en brieven… Door leden van mijn kerkgemeenschap is veel gebeden. Er was zelfs een gebedsketen gemaakt, zodat op ieder uur van de dag iemand voor haar aan het bidden was. Er werd voelbaar meegeleefd. Dat is voor mij van grote waarde geweest. Ook al had ik Wieke liever op aarde gehouden, de ziekte en het overlijden van haar heeft mij doen beseffen hoeveel moois er om ons heen bestaat. Als ik dat tegen mensen zeg, krijg ik vaak de reactie: 'Wat knap dat je dat zo kunt zeggen.' Maar dan denk ik: 'Het is niet knap, want het is geen prestatie. Ik heb dat simpelweg zo ervaren'.

Ik heb door de ervaringen met Wieke ook gemerkt hoe sterk ik ben. Dat heeft mij kracht gegeven, misschien wel voor de rest van mijn leven. Terwijl mijn dochter en mijn vader op sterven lagen, was ik in staat dingen te doen en te regelen. Dat geeft veel zelfvertrouwen.'

Hoe is het tussen jou en Marc, je man, gegaan?

'Wij wisten al van elkaar dat we erg verschillen. Dat zijn we gewend. Ook in het omgaan met het verlies van Wieke hebben we onze eigen dingen. Marc heeft bijvoorbeeld veel meer met het graf dan ik. Ik put troost uit het geloof dat ze in de hemel is en dat ik haar na mijn dood zal terugzien. Dat ziet Marc anders. Zo zijn er meer verschillen. Zolang dat naast elkaar mag bestaan, levert dat geen problemen op.

We botsten voor het eerst met elkaar toen we verschillende behoeften bleken te hebben wat betreft intimiteit en seksualiteit. Ik wilde en kon daar helemaal niets mee. Misschien zat mijn lichaam nog te vol van verdriet en pijn om het verlies van mijn vader en Wieke. Ik kon me niet of nauwelijks ontspannen. We spraken daar eigenlijk nauwelijks over, totdat Marc aangaf dat het hem te lang duurde. Dat snapte ik ook wel. Seksualiteit is een belangrijk iets in een relatie. Je kunt dat niet parkeren, zo van: 'Daar kijken we volgend jaar wel weer eens naar'. Toch liep ik erin vast. Een maatschappelijk werker heeft ons toen geholpen hierover in gesprek te gaan met elkaar. Hij gaf aan dat het gebruikelijk is dat behoeften flink kunnen veranderen na zo'n ervaring. De ene persoon wordt er extra aanhankelijk van, de andere persoon - zoals ik - wil er niets meer mee. Dat *matcht* niet met elkaar. Daardoor wordt seksualiteit een beladen thema. Als je daarmee niets doet, neemt die beladenheid naarmate de tijd vordert alleen maar toe. Door de gesprekken met de maatschappelijk werker, was het voor mij minder eng om het thema op tafel te leggen bij de haptotherapeute. Dat heeft ons geholpen om uit de impasse te komen.

Andere goede tip van de maatschappelijk werker was om gezamenlijk regelmatig stil te staan bij de vraag 'Hoe gaat het met je?'. Hij doelde dan niet op 'hoe gaat het met je' in relatie tot de alledaagse dingen, maar met betrekking tot vragen die een laagje dieper gaan, zoals 'In welke stemming ben je, hoe zit je in je vel, wat houdt jou momenteel het meest bezig?' Dat is binnen een relatie natuurlijk sowieso goed om van elkaar te weten, maar door de gebeurtenissen rondom Wieke was dat extra belangrijk. Toch kan het praten over die vragen makkelijk vergeten worden. Wij waren dat althans niet zo gewend. Ik kan me uit de begintijd herinneren dat we er wat lacherig over deden. 'En Marc, vertel eens, hoe gaat het met je?', vroeg ik dan wat gekscherend. We hebben echter ervaren hoe waardevol de gesprekken waren die daarop volgden.'

Heb je steun gehad aan je geloof en je kerkgemeenschap?

'Uiteindelijk wel, maar niet alles was even helpend. Het is in ieder geval nooit in me opgekomen me af te keren van de kerk en het geloof. Ik had problemen met mensen die mij vertelden hoe het volgens de kerk zat.

'Ze is nu in Gods handen', werd er bijvoorbeeld gezegd. Daar had ik niets aan. Ík wilde haar in míjn armen.

Wat destijds heel erg fijn is geweest, is dat de dominee en een ouderling Wieke in het ziekenhuis hebben gezegend. Dat vond ik bijzonder. Wat nu nog steeds helpt, is het geloof dat ze in de hemel is. Anders dan om Lucas, hoef ik me om haar geen zorgen te maken; zij is al op een goede plek. Ik geloof ook dat ze kan voelen dat ze nog steeds geliefd is. Ik ga er vanuit dat ze het naar de zin heeft, daar waar ze is. Maar ik zou o zo graag eenmaal die bevestiging willen krijgen dat het goed met haar gaat. Ik hoop nog een keer een teken van haar te krijgen.

Het heeft even geduurd, maar na een paar maanden ben ik weer naar de kerk gegaan. Ik vond het een tijdje moeilijk, omdat de kerk bij uitstek de plek voor mij is die mij dichterbij m'n gevoel brengt. Ik voelde me er te kwetsbaar voor. Ik had vooraf met de dominee gebeld. Ik wilde die eerste keer iets zeggen tegen de mensen van de gemeenschap. Zij hadden allemaal sterk meege- leefd. Ik heb aan het slot van de dienst kort verteld over hoe het was gegaan met Wieke. Ik heb iedereen bedankt voor hun steun. Ik heb ook gezegd dat ze me alles mochten zeggen en vragen, dat dat prima was. En dat niets zeggen of vragen ook goed was. 'Volg je hart daarin,' gaf ik hen mee. Je kon merken dat er toen een golf van opluchting door de kerk ging. Ook ikzelf voelde me opgelucht. De onhandigheid die er op zo'n moment in de contacten kan bestaan viel weg. Dat is dan toch de waarde van openheid geven.'

Drie jaar later

'Inmiddels is ons gezin uitgebreid met een zoontje, Jesse (2009). Nadat ik uit mijn hoofd en hart had weten te zetten dat ik niet zozeer Wieke terugwilde, maar echt open stond voor een ander kindje, werd ik snel zwanger. Toen bleek dat het een jongetje was, heeft het nog wel even geduurd totdat ik er echt blij mee kon zijn. Blijkbaar sluimerde er ergens nog intuïtief de wens een Wieke-vervanging te willen. Om te benadrukken dat Jesse echt geen vervanging was, hebben we kort daarop de babykamer van Wieke helemaal opnieuw geschilderd. Ook hebben we allemaal nieuwe deken-tjes en andere accessoires gekocht. Dat was goed om te doen.

De blijdschap tijdens de zwangerschap bleef ook nog even uit omdat ik me zorgen maakte over de gezond-heid van de baby: 'Als het maar niet mis gaat', zei ik tegen Marc. 'Ik kan niet nóg eens een kind begraven.' In een gesprek met de haptotherapeut werd me duide-lijk dat ik me zorgen maakte over zaken waarop ik geen invloed had. Eigenlijk paste dat niet bij mij. Ik ben eerder iemand die positief in het leven staat. Toen ik dat inzag, kon ik met volle teugen van de zwanger-schap genieten.

Ook de kraamtijd van Jesse is een hele fijne tijd geweest. De eerste zes weken na zijn geboorte, totdat ik weer naar het werk ging, heb ik vooral op de bank gezeten, met hem in mijn armen. Die kraamtijd had ook wel weer zijn verdrietige kanten, omdat die duidelijk maakte wat we na de geboorte van Wieke hadden gemist. Daar hadden we in alle drukte rondom haar ziek-zijn niet bij stilgestaan.

Er is in het beleven van het verlies van Wieke niet zoveel veranderd in vergelijking met drie jaar geleden. Dat ik door haar overlijden besefte hoeveel moois er om ons heen is, is geen momentopname geweest. Zo zie en ervaar ik het leven nog steeds. Een vriendin vroeg me pasgeleden of wij na het overlijden van Wieke in een zwart gat zijn gevallen. 'Nee', heb ik toen gezegd. 'Het is wel een erg verdrietige tijd geweest, maar geen zwart gat.' Die periode was niet alleen maar zwaar, zwart en verdrietig. Ik heb me in die tijd zó gedragen gevoeld door allerlei mensen om ons heen: dat heeft een blijvende invloed gehad. Die beker is echt eerder half vol dan half leeg.

Er zijn wel wat kleine dingen veranderd, zoals het stilstaan bij de geboorte- en sterfdag van haar. Ik neem er bijvoorbeeld geen vrij meer voor. Ik vroeg me af: 'Wat ga ik dan doen? Hier thuis zitten?' Ik zag de zin daar niet van in. De eerste twee jaar hebben we bij haar geboortedag ballonnen opgelaten bij haar graf. Bij het derde jaar waren we dat bijna vergeten. We hebben het toen niet gedaan. Ik constateer dat het minder belangrijk wordt om deze data te herdenken. Ik heb daar geen oordeel over. Het gaat zoals het gaat.

Over wat wij met Wieke hebben meegemaakt zeggen mensen soms dat het hen het ergste lijkt wat een mens kan overkomen. Ik kan niet namens anderen spreken, maar volgens mij is dat niet waar. Ik kan me nog zoveel andere ervaringen voorstellen die erger zijn. Dat je je enige kind verliest bijvoorbeeld. Of dat je een kind verliest terwijl je te oud bent om nog een keer zwanger te worden. Of dat je een ouder kind verliest, aan wie je veel meer herinneringen hebt. Of dat je kind niet door een ziekte overlijdt, maar door nalatigheid van jezelf. Het klinkt misschien gek, maar ik prijs mezelf dan nog relatief gelukkig met mijn ervaring.'

Wies, de 21-jarige dochter van Ton en Cornelieke, werd op 28 januari 2009 aangereden door een vrachtwagen. De volgende dag overleed ze in het ziekenhuis.

Ton ervoer het werk van zijn vrouw bij De Wending alsof de dood altijd een beetje aan tafel zat. Plots overleed hun dochter. Daarmee kwam de dood wel héél dichtbij. 'Het is de kunst het verdriet te omarmen.'

Het gesprek voor dit hoofdstuk werd anderhalf jaar na het overlijden van Wies gevoerd. Ton woont met zijn vrouw Cornelieke en zoon Sjoerd (1991) in Culemborg.

Op de foto:
De rode schoenen van Wies.

Ton:

Hoe dichter ik bij de pijn kan komen, hoe draaglijker het wordt

—

Valt er 'zin' te ontlenen aan het overlijden van een kind?

'Kortgeleden ben ik op bezoek geweest bij een nicht van me in Canada. Ik had haar al dertig jaar niet meer gezien of gesproken. Maar ergens in mijn achterhoofd had al vele jaren het idee gezeten dat ik haar ooit eens moest gaan opzoeken. Het overlijden van Wies zorgde ervoor dat ik die wens ging uitvoeren. Via een tante kon ik haar traceren. Ik heb haar gebeld en we hebben afgesproken. Haar eerste zoon bleek op 23-jarige leeftijd te zijn overleden. We spraken dus veel over wat het verlies van een kind ons in het leven tot dat moment had gedaan. Het was voor haar 13 jaar geleden. Het verliezen van haar zoon vond ze een volslagen zinloze gebeurtenis. Ze raadde mij aan niet naar de zin te zoeken.

Ik ben het niet met haar eens. Het kan best dat een overlijden geen zin heeft. Maar toch zoek ik het liever wel. Ik kan of wil me niet voorstellen dat dat bestaat, een zinloos overlijden. Als ik Wies' dood als zinloos zou zien, dan heb ik geen reden meer om te leven. Ik zoek dus liever wél naar de zin van de dingen. Ook naar de zin van de dood van Wies.

Als ik die zin concreet moet invullen, kom ik op dingen die ik moeilijk kan uitspreken. De gevolgen die haar dood voor mijn leven hebben gehad, kan ik verrijkend noemen. Er is voor mij een andere wereld open gegaan. Op het moment dat ik dat uitspreek, vind ik het eigenlijk te walgelijk voor woorden. Het klinkt bijna alsof ik heb geprofiteerd van Wies' dood. Maar ik zou al die gevolgen natuurlijk weer onmiddellijk willen inleveren als ik daarmee Wies zou terugkrijgen. Misschien is het vinden van de zin dan ook niets meer dan een 'bij gebrek aan beter-gedachte'.

Welke andere wereld is er voor je open gegaan?

'Je vroeg me naar de zin, maar ik worstel even goed met de vraag of het allemaal toeval is, zo'n ongeluk, of dat er toch - voor ons allen - een soort script geschreven is waarin vastgelegd staat wat we zullen gaan meemaken tijdens het leven. Als ik nu discussies hoor over de vraag of toeval bestaat of niet, dan zeg ik: nee, het bestaat niet.

Wies' dood is veroorzaakt doordat ze precies op die ene seconde op precies die plaats was. Was ze een seconde eerder of later geweest, dan was het ongeluk niet gebeurd of dan had het ongeluk niet dodelijk hoeven zijn. Dat is me tè toevallig. Ik vind de timing sowieso bijzonder. We voelden ons, na vijf jaar hier te wonen, met Margriet - de zus van mijn vrouw - en haar man Simon als vaste buren, juist helemaal gesetteld. Behalve de timing vind ik ook de omstandigheden bijzonder. Dan doel ik vooral op de achtergrond van het werk van Cornelieke. Als je dit alles in een tv-serie of film zou tegenkomen, dan zou je tegen de regisseur willen zeggen: 'Kom kom, overdrijf je niet een beetje? Het is toch wel heel erg toevallig: iemand verliest een kind terwijl zijzelf tientallen ouders heeft begeleid die eerder een kind hebben verloren.' En toch gebeurt het in de realiteit. Het voelt alsof er ergens een soort script heeft klaargelegen, waarin stond geschreven hoe het leven van Ton, Cornelieke, Wies en Sjoerd zou moeten gaan verlopen. In het begin heb ik dat in een pissige bui aan Cornelieke voorgelegd: 'Jij met je klotebedrijf! Is al je werk nu nodig geweest om voorbereid te worden op dit alles?' Slaat natuurlijk nergens op, maar zo voelde het toen wel. Het klinkt afschuwelijk, maar het is soms net alsof in de voorafgaande tijd alle voorwaarden zijn geschapen om het ons mogelijk te maken deze ervaring te doorstaan.

Nu zijn we anderhalf jaar verder. Ik kan zien dat de meest dramatische gebeurtenis in ons leven ook mooie dingen heeft opgeleverd. Daar zeg ik 'dankjewel' tegen. Ik zeg dankjewel tegen de warmere band met Margriet en Simon, ik zeg dankjewel vanwege ontmoetingen met tal van mensen en ik zeg dankjewel tegen die andere wereld die ik heb leren kennen.

Ik ben een nuchter persoon. Ik sta met beide benen stevig op de grond. Door ervaringen rondom Wies' overlijden, is er een spirituele wereld voor mij opengegaan en kan ik dieper die grond in. Ik heb die wereld niet opgezocht. Opeens was die er. Als vanzelf. Kort na Wies' overlijden zaten we te praten met de ouders van één van haar hartsvriendinnen. Zij vertelden me dat ze over het ongeluk van Wies had gesproken met de schoonmoeder van hun andere dochter. Deze vrouw, Elly, had gezegd dat we er goed aan zouden doen als we ons huis zouden reinigen. Normaal gesproken zou ik daarop hebben gereageerd met een droog: 'Bedankt voor de tip, ik zal de stofzuiger eens ter hand nemen.' Nu was het vanzelfsprekend dat ik contact met haar zou leggen. We maakten een afspraak. Ze vertelde me over de noodzaak, in haar ogen althans, het huis te reinigen met witte salie. Ik vond het geen vreemd idee. In tal van religies zie je dergelijke, zuiverend bedoelde rituelen terug. Ikzelf ben rooms-katholiek opgevoed. In vroegere tijden was het gangbaar dat de pastoor een ritueel met wierook uitvoerde.

Enige weken later is het reinigingswerk verricht door twee mensen die ik via een andere bekende had ontmoet. Ik heb nog steeds contact met hen. Ik vind het mooi om te zien hoezeer zij vanuit hun gevoel leven. Dat brengt soms een hele andere kijk op gebeurtenissen of ervaringen met zich mee. Dat vind ik verrijkend. Die Elly bijvoorbeeld: ze bleek bij ons in de buurt te wonen, en toen ze de eerste keer zou komen, zou ze met de fiets gaan. Kort voor de afspraak, belt ze me op: 'Ik kan je huis niet vinden. Ik ben waarschijnlijk vlakbij, want ik sta op de dijk, maar ik heb hoogtevrees.' Op zo'n moment denk ik: 'Tjonge, beetje warrige vrouw zeker.' Ik bood aan haar tegemoet te rijden, en zo kon ik haar naar ons huis leiden. Maar zij zegt dan naderhand: 'Nee, niks warrigheid, jij hebt mij moeten halen. Jij hebt moeite moeten doen om mij in jouw huis te halen.' In feite kloppen beide verhalen. Maar ik vind haar interpretatie stukken mooier. Door dit soort ervaringen, die in het kielzog plaatsvinden van het overlijden van Wies, is er een spiritueel luikje in mijn hoofd opengegaan. Er is nu ruimte om te erkennen dat er meer tussen hemel en aarde bestaat dan ik ooit had vermoed. Terwijl ik gelijktijdig niet het idee heb dat ik iets van mijn nuchterheid verlies.'

Ben je op andere gebieden veranderd?

'Ik vind mezelf niet veel anders geworden. Maar: alle eigenschappen die ik al had, worden nu wel wat meer uitvergroot. Eerst was mijn leven een vrij rustige curve, waarbij de gevoelsmatige hoogte- en dieptepunten niet ver van elkaar af lagen. Nu lijken de pieken hoger en de dalen dieper. Ik kon bijvoorbeeld altijd al wel goed ontspannen, maar nu zit ik dieper in de rust. Aan de andere kant: in mijn werk kon ik weleens onzeker zijn. Die onzekerheid is soms óók intenser.'

Is je werk hetzelfde gebleven?

'Ja. Ik ben loodgieter. Ik had en heb mijn eigen bedrijf. Het werk dat ik doe bestaat in grote lijnen uit twee onderdelen: ik voer klussen uit voor particulieren en bedrijven, en ik geef les over het vak. Toen Wies overleed, ben ik met alles onmiddellijk gestopt. Samen met Cornelieke heb ik het eerste half jaar besteed aan het binnenhalen van alle informatie over Wies die nog binnen te halen viel. Na die periode waren de mogelijkheden op, en ontstond er ruimte om na te denken over wat ik met het werk wilde.

Ik wilde het werk 'zo gewoon mogelijk' weer gaan oppikken. Voorheen gaf ik les via een particulier opleidingsinstituut. Ik kon daar weer beginnen. Door de economische crisis was er wel wat minder werk dan voorheen. In plaats van 12-14 dagen in de maand, kon ik met 2-3 dagen in de maand beginnen. Op de overige dagen probeerde ik weer wat klussen te plannen. Achteraf zie ik in dat ik behoorlijk overmoedig ben geweest. Ik dacht: ik kan weer gewoon aan de slag: 5 dagen werken, 2 dagen weekend. Maar na korte tijd kwam ik er achter dat het niet ging. Ik kon niet lang achter elkaar werken. En ik kon evenmin veel dagen achter elkaar werken. Als ik dat wel deed, als ik 'gewoon' 4 of 5 dagen in de week ging werken, was ik in het weekend helemaal kapot. Het verdriet kroop me op de nek, en het ging er niet vanaf. Dan zat ik alleen maar te huilen. Dat vond ik jammer van het weekend.

Dus toen heb ik wat gas teruggenomen. Ik heb de tijd genomen om een goede balans te vinden. Als ik zo'n 20-25 uur in de week werkte, had ik nog wat aan het weekend.

Inmiddels is de economie weer wat aangetrokken. Het aantal lesdagen neemt toe. Maar ik blijf die balans nog steeds in de gaten houden. Ik moet voorzichtig blijven. Het heeft betekent dat ik moest leren 'Nee' te zeggen. Dat kan ik makkelijker in mijn eigen werk dan in het werk voor het opleidingsinstituut. Toen ik na Wies' overlijden onmiddellijk stopte, hebben ze mij alle ruimte gegeven. En ik ben hen dankbaar voor de manier waarop ik weer werd opgenomen in de club.

Als loodgieter ben ik gespecialiseerd in het werken met zink. Zinkwerk is zichtwerk: ik kan enthousiast raken van het toewerken naar het eindresultaat. Iets scheppen, iets moois maken... Ik vond het heerlijk om er weer mee bezig te zijn. Ik merkte hoezeer het mijn lust en mijn leven is. Als ik met een klus bezig was, was er even geen ruimte voor verdriet. Het was fijn om die afleiding te kunnen vinden.'

Hoe was het om weer in contact te komen met 'de buiten-wereld'?

'Dat heeft zijn zware, moeizame kanten gehad. Je merkt daardoor duidelijk dat je niet meer dezelfde bent. Als loodgieter kom ik natuurlijk op allerlei bouwterreinen. Bouwvakkers staan er om bekend niet de meest brave gesprekken of opmerkingen te maken. Vroeger kon ik dat goed aanhoren. Ik kon er zelfs aan meedoen. Nu mis ik het vermogen om daarin mee te gaan. Via het opleidingsinstituut had ik een tijdje terug een personeelsuitje. Ik merkte hoeveel moeite het me soms kostte om serieus naar mijn collega's te luisteren. Eentje besprak zijn, op zich hele normale, huis-, tuin- en keukenproblemen met zijn drie dochters. Dan flitst het door me heen: 'Waar héb je het over?' Bovendien: dríe dochters. Dat steekt dan. Want ik heb er niet eens één.

Ik heb ook trucjes moeten verzinnen om met die 'Hoe gaat het-vraag' om te gaan. Die vraag wordt je te pas en te onpas gesteld. Soms zonder het doel een antwoord te krijgen: meer als een soort 'Hallo', als een begroeting. Maar soms mét het doel een antwoord te krijgen. Het ligt er natuurlijk aan wie hem stelt, en in welke omstandigheid. Ik heb vaak gezegd: 'Het gaat goed genoeg om hier te zijn.' Bijvoorbeeld op mijn werk. Daar moest men het dan maar mee doen. Kwam ik bekenden tegen tijdens het boodschappen doen, en had ik op dat moment geen zin of behoefte een echt antwoord te geven, dan zei ik: 'Ik ben nu aan het boodschappen doen, we praten later verder, oké?' Ook dat werkte goed.

Ik ben nog steeds gevoelig voor de hulpeloosheid en machteloosheid van de omgeving. De mensen om je heen weten zich vaak geen raad met je. Soms, zoals bijvoorbeeld in zo'n boodschapsituatie, dan zie je ze opgelucht adem halen. Alsof ze blij zijn dat ze het er niet over hoeven te hebben. Ik snap dat wel. Het gros van de mensen die je tegenkomt is óók ouder. Mijn ervaringen en mijn situatie kunnen zij als bedreigend ervaren.

Ik kan het nog niet zo goed hebben als Wies níet genoemd wordt. Pasgeleden belde een klant mij op die ik al een paar jaar niet meer had gesproken. Hij vroeg of ik een klusje wilde doen. Maar voordat we daarover gingen praten, vertelde hij me hoezeer hij geschrokken was van het overlijden van Wies. En hoe vaak hij aan me had gedacht. Als op zo'n manier Wies een stoel krijgt in een contact, kan ik weer verder. Ik wil niet dat er overheen gepraat wordt. Als dat wel dreigt te gebeuren, pak ik soms zelfs die stoel. Alhoewel ik ook merk dat die behoefte wel minder wordt.'

Verdwijnt het verdriet, denk je?

'Nee, ik verwacht niet dat het verdwijnt. Het wordt hooguit draaglijker. Daar kun je zelf wat aan doen. Een jaar voor Wies' overlijden heb ik rugklachten gekregen. Ik ga sindsdien regelmatig naar een haptotherapeut. Van hem heb ik geleerd naar de plek te gaan waar de pijn zit. Dat werkte uiteindelijk het meest helend.

Het verdriet dat ik om Wies' dood voel, is natuurlijk ook pijn. Ik ga er vanuit dat die pijn zich ook vastzet in mijn lichaam, net als de rugpijn. Ik probeer het haptotherapeutische principe op deze pijn toe te passen. Ik probeer het verdriet te omarmen. Er nabij te zijn. Aandacht te geven. Hoe dichterbij ik bij de pijn kan komen, hoe draaglijker de pijn wordt. Dat klinkt misschien voor andere mensen heel zweverig, maar ik heb in ieder geval gemerkt dat het níet draaglijker wordt door het tegenovergestelde te doen: door de pijn te negeren, of door te proberen de pijn op een afstand te houden.

In hoe ik omga met de pijn, zit een verband met hoe ik werk. Als ik voeling hou met het materiaal dat ik bewerk, als ik er dichtbij blijf, ben ik lekker bezig. Ik ken mensen die hetzelfde werk doen als ik, maar die tweemaal per jaar een nieuwe boormachine nodig hebben. Ik doe er tien jaar mee. Hoe komt dat? Elke ambachtsman kan je vertellen dat je als het ware door de gereedschappen heen moet voelen om het meest optimale resultaat te bereiken. Zo werk ik ook. Ik doorvoel wat ik het apparaat laat doen. Ik ga het niet forceren. Ik behandel mijn gereedschap met liefde. Zo wil ik ook met mijzelf omgaan. Ik heb pijn, dus ik moet mezelf koesteren. Anders hou ik mezelf niet overeind.'

Ruben, de 8-jarige zoon van Joyce en Ed, overleed aan
de gevolgen van leukemie op 24 september 2006.

Joyce noemt zichzelf nuchter en rationeel, en zet zich
met hart en ziel in voor ouders met een ziek kind. 'Er
gaat geen dag voorbij zonder dat ik aan Ruben denk,
maar toch droom ik nooit over hem. Ik ben jaloers op
ouders die dat wel doen.'

Het gesprek voor dit hoofdstuk werd viereneenhalf jaar na
het overlijden van Ruben gevoerd. Joyce woont met haar
man Ed en hun zoon Calvin (1995) in Rosmalen.

Op de foto:
De gele ballon die Ruben symboliseert.

Joyce:

Juist in het verdriet voel ik me dicht bij hem

—

Nog even en het is vijf jaar geleden dat Ruben overleed.

'De factor tijd is een ongrijpbaar 'iets'. Soms is het een gemeen 'iets'. Aan de ene kant kan ik alle ervaringen rondom zijn ziekte en zijn overlijden terughalen alsof het gisteren was. Dan lijkt het allemaal zo kort geleden. Aan de andere kant is vijf jaar erg lang. Er is sindsdien zoveel gebeurd. Ruben zou nu bijna 13 zijn. Beide belevingen sporen niet met elkaar. Het klopt niet. Dat vind ik moeilijk.

Mijn broer heeft ruim een week voordat Ruben overleed een dochtertje gekregen. Telkens als ik haar zie, besef ik hoeveel tijd Ruben niet meer bij ons is. Pasgeleden zag ik een film waarin een tijdmachine een rol speelde. Ik voelde heel sterk hoe graag ik hem nog één keer had willen vasthouden. Het is vreemd om dan te moeten beseffen dat zo'n sterk gevoel na vijf jaar nog kan bestaan.

Bij die vijf jaar wil ik wel stilstaan, maar ik weet nog niet hoe. Je kunt moeilijk een feest geven. Het herdenken is altijd meer geconcentreerd geweest rondom zijn geboortedag dan rondom zijn sterfdag. We hebben zowel bij zijn sterfdag als zijn geboortedag een traditie opgebouwd. We nodigen niemand uit, maar toch zit de huiskamer vol. Familie, vrienden en mensen uit de buurt komen op bezoek. Dat vind ik fijn. De dagen zijn eerder gezellig dan zwaar te noemen. Zijn sterfdag gaat meer om het vieren van het leven dan om het stilstaan bij de dood. Samen met buurtkinderen laten we altijd ballonnen op. Acht gele, voor ieder jaar dat Ruben heeft geleefd, en komend jaar vijf witte, voor de jaren dat hij er niet meer is.

Ruben is nog dusdanig aanwezig in ons leven dat ik me kortgeleden heb afgevraagd of ik er niet teveel mee bezig ben. Misschien vraag ik me zoiets af omdat ik voor mensen om mij heen invul dat zij dat vinden. Of omdat je - zonder het te willen - toch beïnvloed bent door het idee dat 'het verwerken van een verlies' impliceert dat het ooit 'af' is. Toen herinnerde ik me een anekdote van een oncoloog. Hij was met een kapotte klok naar een klokkenmaker gegaan, een oude man van zo'n 90 jaar oud. Eén van de eerste zinnen die de klokkenmaker had gesproken was: 'Mijn zoon is 60 jaar geleden overleden.' Dus tja, waar heb ik het dan over? Waarom zou ik na vijf jaar niet meer dagelijks aan hem mogen denken?

Hoe langer het is geleden, hoe meer ik me realiseer dat zo'n ervaring met Ruben altijd bij me hoort en nooit uit mijn leven zal verdwijnen. Het enige dat verschuift, is dat je in staat raakt het 'ermee bezig zijn' te sturen. Eerder overkwam het me alleen maar. Nu kan ik het zelf makkelijker aan en uit zetten. Ik kan het oproepen met muziek of een film. De fotoboeken die we over Ruben hebben gemaakt doen het ook goed. En natuurlijk voel ik me dan erg verdrietig, maar dat heeft ook iets prettigs. Juist in het verdriet voel ik me dicht bij hem.

Ik kan me herinneren dat we zes weken na het overlijden van Ruben naar een bijeenkomst van de VOKK (Vereniging Ouders, Kinderen en Kanker) gingen. Een ander stel zei toen tegen ons: 'We kunnen jaloers zijn op jullie verdriet'. Ik snapte daar niets van. Maar nu kan ik het begrijpen. In dat rauwe verdriet van het begin, dat verdriet waar je niet omheen kunt, voel je je kind erg dichtbij. Hoe zwaar dat ook voelt, het heeft ook wel iets moois. Nu moet je moeite doen om die nabijheid te voelen.'

Ruben was in behandeling in een ziekenhuis in Nijmegen. Je bent zowel daar als bij de VOKK vrijwilligerswerk gaan doen.

'Ja. Bij de VOKK ben ik een jaar na het overlijden van Ruben vrijwilligerswerk gaan doen. Ik help mee met het organiseren van themadagen en heb bijgedragen aan het zogeheten Koesterproject. In dat project zijn tal van producten ontwikkeld voor ouders van wie het kind niet zal genezen. Er zijn onder meer wat boekjes gemaakt, zowel voor ouders als voor hulpverleners, maar er is ook een speciale telefoonlijn voor ouders gestart (*).

Ed en ik zijn positief over het lotgenotencontact. In het begin dachten we heel naïef dat we van hen 'de' tips en trucs zouden kunnen krijgen om het verlies van ons kind te verwerken. Die verwachting moet je niet hebben. Wat anderen heeft geholpen, hoeft voor jou niet te gelden. Iedereen moet toch zijn eigen weg zoeken en vinden. Het nuttige van de verhalen van anderen is echter wél, dat je er dingen kunt uitpikken die bij je passen.

Sinds vorig jaar draai ik diensten bij het inloop-spreekuur op de poli en een afdeling van het Kinderon-cologisch Centrum van het ziekenhuis St Radboud. Ik heb één dag in de week een vrije dag en op die dag zit ik regelmatig in het ziekenhuis. Ik ontmoet daar ouders van wie op dat moment een kind voor een behandeling in het ziekenhuis komt. Zij zitten in feite middenin het proces. Het is vaak nog ongewis welke kant dat opgaat: zal hun kind genezen of niet? Ik heb me afgevraagd of het niet bedreigend voor hen zou zijn als ze van een collega-ouder zouden horen dat het ook slecht kan aflopen. Je kunt immers niet voorkomen dat ze in het contact dat je met hen hebt ook naar jouw verhaal vragen. Maar de strekking van mijn verhaal is dat er een leven mogelijk is na de dood van je kind. En dat willen ze graag horen. Ook al wijst niets in de behandeling erop dat hun kind zal overlijden, alle ouders houden daar - ergens in hun achterhoofd - wel rekening mee.

De reden dat ik dit vrijwilligerswerk ben gaan doen, heeft veel te maken met de steun die ik vanuit de omgeving heb gekregen in de tijd dat Ruben ziek was. Ik heb me gedragen gevoeld door veel lieve mensen om mij heen. Iets van de energie die me dat heeft opgeleverd, wil ik teruggeven aan de gemeenschap, aan de maatschappij. Als ik deze gedachte verbind met het vrijwilligerswerk en met de ouders die ik daarin ontmoet, weet ik natuurlijk wel dat ik het resultaat van de behandeling van hun kind niet kan beïnvloeden. Maar het hele proces eromheen - waaronder ook het contact met andere ouders valt - kan ik wél een beetje beïnvloeden. Kijk ik naar mijn eigen ervaringen met Ruben, dan is het resultaat van de behandeling natuur- lijk waardeloos geweest. Maar in de gehele beleving was het proces goed. En nu ik terugkijk, ben ik blij dat ik niet ook nog eens de last moet dragen van een slecht proces. Door het vrijwilligerswerk in het zieken- huis hoop ik het proces van andere ouders te kunnen verlichten.'

Nu wil je de Nijmeegse Vierdaagse gaan lopen.

'Dat idee zou zonder de ervaringen met Ruben niet in mij opgekomen zijn. Maar 'Nijmegen' en 'afzien' horen zo bij elkaar. Die Vierdaagse lopen geeft mij de gelegenheid bezig te zijn met de periode waarin wijzelf zo vaak in het ziekenhuis kwamen. Ik zal vast regelmatig voortwandelen met de blik op oneindig, maar even goed zullen er momenten zijn dat ik met mijn volle aandacht bij hem zal zijn. Dat gebeurt ook nu al, tijdens het trainen ervoor. In het wandelen vind ik de rust in mezelf om dat te kunnen doen. Het geeft me de gelegenheid gedachten op een rij te zetten en bepaalde periodes terug te halen. Ik verheug me erop, al zal het evengoed een zware tijd worden.'

Hoe trek je enerzijds samen met je man op, en ga je anderzijds je eigen weg?

'Het meest belangrijk is dat je elkaar voortdurend blijft vertellen waar je mee bezig bent, dat je de ander de ruimte geeft te doen wat hij wíl doen en dat je dat weet te respecteren. Ed en ik hebben allebei een drukke baan en sporten veel. Het is heel makkelijk om langs elkaar heen te leven. Ook zonder onze ervaringen met Ruben, zou het risico aanwezig zijn geweest dat we daardoor uit elkaar zouden groeien. Maar juist door de ervaringen met Ruben is de noodzaak bewust contact met elkaar te zoeken groter. Ik denk toch dat die ervaringen je gevoelens en emoties uitvergroten. Dan is het risico volgens mij ook groter dat je elkaar kwijt kunt raken.

In mijn vrijwilligerswerk hoor ik natuurlijk veel verhalen van andere ouders. En ik ken de cijfers: veel ouders die een kind verliezen gaan uit elkaar. Ik kan me dat zo goed voorstellen. Door het overlijden word je overspoeld door verdriet. Je hebt al genoeg aan jezelf. Het is zo makkelijk om geen oog te hebben voor de ander. Om het risico van scheiding te ontlopen, móet je dus dat contact over en weer zoeken. Aan de andere kant: ik denk niet dat het overlijden van een kind uiteindelijk de oorzaak van een breuk kan zijn. Meestal waren er al breukjes in de relatie, en zorgde het verlies van een kind ervoor dat die breukjes doorzetten.'

Hoe open ben je over je ervaringen met Ruben?

'Heel open. Ook in de tijd dat Ruben ziek was, deelden we het verhaal met velen. Toen we kort na het overlijden van Ruben op vakantie gingen, namen we ons echter voor het verhaal bij ons te houden. Het leek ons een veel te zwaar verhaal om te delen met wildvreemden. Maar dat werkte niet. Dat ging ten koste van onszelf.

Als mij gevraagd wordt hoeveel kinderen ik heb, zeg ik dan ook altijd twee. Een aantal maanden geleden heb ik een sollicitatiegesprek gehad. Ook bij zo'n gelegenheid vertel ik over Ruben. De ervaringen met hem zijn zo'n wezenlijk onderdeel van de persoon die ik ben, het laat zich niet onder tafel drukken. Bovendien heb ik gemerkt dat je met openheid de ander impliciet uitnodigt óók open te zijn. Je biedt gelegenheid om diepgang aan de gesprekken te geven, en dat vind ik waardevol.

Uit mijn familie- en vriendenkring heb ik gehoord dat onze openheid erg gewaardeerd wordt. Het heeft de drempel om ons nabij te zijn verlaagd. Mensen uit onze omgeving hebben fantastische dingen voor ons gedaan. Toen Ruben ziek was, was 'Rood' van Marco Borsato zijn favoriete nummer. Na zijn overlijden had Borsato een reeks optredens in de Gelredome, Symphonica in Rosso. Buren van ons hebben toen via het management van Borsato geregeld dat wij daarbij aanwezig konden zijn, ook al waren al zijn shows uitverkocht. Wat later vroegen andere buren of wij mee wilden naar een optreden van Rob de Nijs. Ik voorzag 'Malle Babbe-achtige vrolijkheid', en daar had ik helemaal geen zin in. Toch heb ik me laten overhalen. Wat bleek? Hij zong vooral van zijn cd 'Vanaf vandaag', waarop ook het nummer met diezelfde titel staat. Dat nummer deed en doet me erg aan Ruben denken. Tijdens het concert vertelde hij waarom hij dat nummer had geschreven: als troost voor ouders die een kind hadden verloren. 'En vanavond zing ik het speciaal voor Ruben', zei hij. Het is nauwelijks in woorden uit te drukken wat zulke ervaringen voor mij hebben betekend. Dat je dat mag meemaken... Dan kun je er weer een hele tijd tegenaan.'

Heb je het idee dat Ruben op één of andere manier laat merken dat hij nog 'ergens' is?

'Ik ben geen zweef-type. Ik ben juist erg nuchter en rationeel. Maar soms gebeuren er dingen die moeilijk te verklaren zijn. Ieder jaar is er zo'n moment dat we samen de kerstboom optuigen. Eén van de items die we dan in de boom hangen is een figuur van Rudolph the Red-Nosed Reindeer. Dat was een favoriet van Ruben. Als je in de neus van dat beestje kneep, maakte hij geluid. Althans: dat behoorde hij te doen. Maar hij was al jaren kapot. Desondanks hingen we hem wel op. En sinds Ruben overleden is, gebeurt er jaar in jaar uit hetzelfde: kort nadat de kerstboom volledig is opgetuigd, begint Rudolph uit zichzelf geluid te maken. Ik kan het niet laten om dan even 'Hee Ruub' te zeggen, en dat toch als teken van hem te zien, ook al geloof ik niet echt dat hij nog 'ergens' is.

Van andere ouders ken ik veel verhalen over al dan niet vermeende signalen die ze van hun overleden kinderen krijgen. Ik moet zeggen dat ik daar niet jaloers op ben. Misschien is het meer een kwestie van: 'Wat je wilt zien, dat zie je'. Tijdens het gesprek dat ik met jou heb, zijn op de radio twee liedjes van Marco Borsato voorbijgekomen. Betekent dat iets? Is dat een teken van hem? Ik ben waarschijnlijk te nuchter om daar iets in te zien. Of ik heb het niet nodig om me daaraan vast te houden, dat kan ook. Ik ben trouwens wel jaloers op ouders die over hun kind dromen. Dat heb ik nog nooit gedaan. Wel over Calvin, maar niet over Ruben. Terwijl er geen dag voorbij gaat zonder dat ik aan hem denk. Dan zou je kunnen verwachten dat Ruben in de dromen evengoed regelmatig voorbij komt. Maar nee, niet dus.

Op de dag nadat we van Ruben de fatale prognose hadden gekregen, overleed mijn oma. We konden toen met elkaar over de dood praten zonder dat we het over zijn situatie hoefden te hebben. Ook reïncarnatie kwam als onderwerp voorbij. Hij zei toen dat hij niet als mier zou willen terugkeren: 'Of je leeft onder de grond, of je wordt doodgetrapt'. Hoewel ik niet in reïncarnatie geloof, kan ik het nog steeds niet over mijn hart verkrijgen een mier te doden. Ik neem dan toch liever het zekere voor het onzekere.

Ik worstel met de vraag of er meer tussen hemel en aarde is. Aan de ene kant ben ik, zoals gezegd, erg nuchter. Ik durf het niet met zekerheid te zeggen, maar ik ga er vanuit dat er niets na de dood is. Aan de andere kant zou ik graag willen geloven dat er iets is. Ik wil daar bewijs voor, maar dat is er natuurlijk niet. Mocht er toch wel wat zijn, dan staat Ruben vast met open armen op mij te wachten. Dat vind ik een troostende gedachte. En dat zorgt er ook voor dat ik niet bang voor de dood ben. Ik ontmoette eens een man die me zei: 'Ik hoef niet te geloven dat er iets is, ik weet het zeker.' Dat vind ik intrigerend. Hij zei ook: 'Er komt een moment dat jij dat ook kunt zeggen.' Maar momenteel is het nog niet zover.

Tussen het beëindigen van de ene baan en het starten van een volgende baan, had ik afgelopen jaar een paar weken vrij. Ik heb in die tijd overwogen naar een medium te gaan, om te proberen contact te leggen met Ruben. Ik zou zo graag bevestigd willen zien dat hij toch 'ergens' is en dat hij het daar goed heeft, dat hij geen pijn heeft. Op zijn sterfbed is hij in een coma geraakt, maar hij heeft ook liggen gillen. Volgens de artsen was hij dusdanig in coma dat hij niets van zijn pijn of verkrampingen heeft gemerkt. Toch is dat voor mij een nog niet afgerond stukje. Misschien dat zo'n medium me zou kunnen helpen dat stukje wél af te ronden, dacht ik. Uiteindelijk heb ik er van afgezien naar een medium te gaan. Ik zou het risico lopen dat ik me bedonderd zou voelen. Dat zou mijn gevoel rondom Ruben kunnen besmeuren, en dat wilde ik niet.'

Wat is de meest basale verandering in je leven?

'Toen Ed en ik tien jaar getrouwd waren hebben we een groot feest gegeven. Er zijn toen foto's gemaakt van ons vieren... Het geluk spat er vanaf. We wisten toen nog niet wat ons te wachten zou staan. Achteraf gezien is het een zeer goed idee geweest dit te vieren, en niet te wachten op het 12,5 jarig huwelijk. Want toen was Ruben net overleden.

Het besef dat ik me nooit meer ultiem gelukkig zal voelen: dat is denk ik de meest basale verandering die ik kan noemen. Er kunnen nog allerlei wezenlijke *life-events* komen - als Calvin afstudeert, als Calvin trouwt, als Calvin vader wordt - en telkens zal ik het vermogen missen om mezelf ten diepste gelukkig te voelen. Ik zal Ruben altijd blijven missen. Terwijl ik dit zeg, voel ik me er direct wat opgelaten bij, want ik wil hiermee niet zeggen dat ik me rondom die *life-events* van Calvin niet gelukkig zal voelen. Natuurlijk zal ik dat zijn. Maar doordat Ruben is overleden, zal er aan ieder gevoel van geluk óók een grijs randje zitten.'